47 明代
西元1368～1643年 〔注音本〕

全新 吳姐姐講歷史故事

吳涵碧◎著

目錄

【第987篇】傳說中的唐才子。

眞實的唐伯虎在科場弊案之後，日益哀怨，表現於詩歌中的是：『人生七十古來少，前除幼年後除老；中間光景不多時，又有炎霜和煩惱。請君細點眼前人，一年一度埋芳草；草裡高低多少墳，一年一半無人掃。』

眞實的唐伯虎阮囊羞澀，豈有餘錢擁有九位嬌妻美妾，他自己形容：『風雨兼旬，廚煙將絕，滌硯吮筆，蕭條若僧。』意思是說：『一連下了十多天的大雨，我家廚房裡的煙囪都停止冒煙了，我把硯台洗乾淨，嘴中吮著毛筆，蕭條落魄得像一個和尚。』

一個窮得沒飯吃的唐伯虎，怎麼也不可能風流豪放，但是世人太同情、太喜愛這麼一位性情中人的藝術大師，因此編成了許多膾炙人口的故事。

傳說中幸福美滿的唐伯虎（爲了讓讀者辨清，傳說中的唐伯虎行文用唐寅）是這樣的：

唐寅也，天生的驚才驚艷，才如子建，貌比潘安，十八歲時，考中了弘治戊午科的南直隸解元，擅長詩賦文章，又長於丹青，當時人稱之爲唐畫。

由於他的繪畫，不但得自宋元名家的眞傳，並且超越古人，所以洛陽紙貴，許多王公貴人，花了重金，也不能如願以償，因此他的身價更高，繪畫所得收入驚人。

這時，江西寧王宸濠，野心勃勃，想要奪取大明朝的一統江山。唐寅年少登第，大名鼎鼎。宸濠禮賢下士，殷勤優渥，奉若上賓。唐寅發現了眞相，急於脫身，開始裝瘋賣傻，成了一個色情狂，對著王府的丫鬟僕婦任意調笑，遇到王府的妃嬪坐著轎子，竟然當街小便，還笑嘻嘻道：『澆其妻妾。』

宸濠知道消息，十分憤怒，恰好，一些平日嫉妒唐寅多才多藝的狐群狗黨，乘此機會攻擊唐寅：『這個小白臉，自以爲才高學廣，平日目中無人，風流自命，仗著一張姣美的臉龐，專門在娘兒們身上用工夫，索性把他了結性命，免得日後成爲禍根。』

宸濠心想：『如今唐寅顛顛倒倒成了瘋狂，不如放開膽量，由他去害桃花癡，最好是癡死了。萬一他回到家有一點形跡可疑，我要取他首級易如反掌，犯不著先擔上一個害賢之名。』

唐寅脫離了虎口，回到故鄉安身，心中有說不出的舒泰，他爲了要證明依然害著桃花癡，對祝枝山、文徵明、周文賓三人誇下海口：『我要在三個月之內，覓得八位佳人先後完婚，一夫八婦，度那一輩子甜蜜光陰。』

大家忍不住呵呵大笑：『唐寅呀唐寅，絕世佳人，談何容易？自古一箭雙鵰，足以自豪，已使人羡煞妒煞，何況三個月內八位佳人，這豈不是

瘋話嗎？』

唐寅胸有成竹，自信定能出奇制勝，從那粉紅隊中吸取美人芳心。他帶著書僮唐慶到達了南京，暗暗進行訪艷工作，留下不少風流佳話。第一位是陸昭容小姐。

陸昭容乃是南京太史公陸瑾的掌上明珠，陸翰林就這麼一位寶貝女兒，長得芙蓉如面，秋水爲神，不但美麗絕頂，天性聰穎過人。陸翰林因爲無人繼承書香，自幼把昭容小姐當兒子一般親自教讀。因而這一位昭容小姐不但姿色絕代，並且胸羅錦繡，腹滿詩書，琴棋書畫，件件精通。這年已是一十八歲，只因陸老夫妻愛女心切，擇婿甚苛，所以至今待字閨中。

八月十五中秋佳節，陸昭容隨著老夫人出來燒香還願，另外帶著一名婢女春桃。

春桃面龐俊俏，身材伶俐，那班油頭公子、浮滑少年驚若天人，彷彿蚊子見血；等到昭容小姐出轎，那就更不用說，一個個竟是三魂渺渺、六魄悠悠，有的說她是嫦娥下界，有的說她是玉女臨凡，有的說她比天上的仙女還要可愛，有的說她比座上的觀音還要美麗，一個個饞涎欲滴，神魂飛越，恨不得上前去，把她一口吞了下去。

由於有人認識陸老太太，料到那位天仙似的美女一定是陸翰林的掌珠，知道陸翰林在南京城裡有些勢力，不敢輕舉妄動，只得遠遠的跟隨，竊竊的私議。

話說唐寅到了南京，正抱著尋芳獵豔的目的，東走西撞，像獵人一般每日在外邊遊弋。這天恰好打從紫竹菴前面經過，聽到三三兩兩傳說，紫竹菴中有一位天仙佳人在裡面進香，許多公子哥饞涎欲滴，在裡面圍觀。唐寅擠入人叢，擠進了觀音殿中，唐寅頓覺眼前一亮，心旌不由自主一陣搖曳，暗說一聲：『妙啊！這一位小姐眞稱得起一聲天仙化人，唐寅如果與她成就良緣，一定列爲八美班首。』

正想到這兒，陸氏母女已由幾個尼僧伴著退出前殿，唐寅少不得又在人叢之中，屏息凝神把陸小姐飽看一番，方始滿懷愉快回到悅來客棧。

眞實的唐伯虎與傳說中的相去太遠，唐伯虎地下有知一定十分豔羨。

閱讀心得

【第988篇】唐寅混入陸府。

傳說中的唐寅風流倜儻，一帆風順，他誇下海口，要在三個月之中，覓得絕世佳人八位，一個個情情願願的與他先後完婚。

唐寅第一位相中的是陸昭容小姐。唐寅打算混入陸府，再設法接近佳人。他吩咐小廝唐慶去估衣店，買一套半新不舊的婦人衣服。沒多久，唐慶找來了一套條紋花布的夾襖褲，一條黑色錦綢的裙子。由於唐寅本來俊俏，打扮起來，簡直比人家千金小姐還要標致，只是一雙尊足實在大了一點。

唐寅喬裝完畢，自己對著鏡子照了一會兒，只見全身上下沒有破綻，這才扭動『嬌軀』，扭扭捏捏，裝模作樣學著女子走路，還沒走幾步，唐慶忍不住哈哈大笑，笑到後來，幾乎腰也要笑斷了。

唐寅急急搖手，阻止唐慶繼續大笑，他正色道：『記著，你我兄妹稱呼，不許再叫我爲相公。』

唐慶還想笑，硬把氣給憋住，連聲抱歉：『我這馬上改口，叫你妹妹好嗎？』

『這兒沒關係，到了有人看見時，你得千萬小心。』

於是，『兄妹』二人來到了陸翰林的府第，只見門前高聳著兩株合抱的大槐樹，正中央兩扇紅漆大門，門上矗立著一方紅地金字的匾額，上面寫著『金馬玉堂』四個大字。

唐寅在石階上拂拭了一下灰塵開始掩臉啜泣，繼而嗚嗚咽咽的大哭特哭。主人一哭，唐慶想到自己從小賣入唐府，身世不知，孤獨無依，心中一陣悲酸，也抽抽噎噎痛哭起來。

左右街坊早有好管閒事的人過來觀看，指指點點，觀衆來了，唐伯虎益發哭得淒楚悲哀。

有一個慈悲心腸的老媽媽走過來，好心詢問：『爲甚麼哭得這般傷心啊？』

唐伯虎裝著驚惶的神色道：『我本是姑蘇人氏，身旁的是哥哥田三早，只因爲父母雙亡，兄妹二人上南京投親，不料親戚全家搬遷，於是與哥哥商議，把奴家賣給人家當奴婢，哥哥好弄一點小錢做生意，但是跑了幾天，找不到人家，因此……』說著，唐伯虎又開始痛哭起來。

由於唐伯虎面目清秀，說話伶俐，楚楚可憐，一個個路人都點頭嗟歎，更有一人趕緊去買了幾個燒餅來。

正在此時，陸府一個門房陸科回家，自然有嘴快的敘說了一遍。

陸科也是一個善心人，他一拍腦袋道：『老爺太太正在物色一名使女，昨天楊媽媽帶了一個來，太太嫌她長得粗俗難看。』這個女子，陸科瞄了一眼，暗驚眞是漂亮，所以，陸科就把唐寅主僕二人引入。

他等一行來到了陸翰林的書房，陸翰林看了一眼，嚇了一跳，心想：

『世間竟有這等美貌女子，論其姿色，比女兒還勝三分，偏偏落難，老天爺眞是不公平啊！』

陸翰林正痴痴呆想，老夫人與昭容小姐也進來了，母女二人對喬裝的唐寅，比陸翰林看得還要中意。

陸翰林給了唐慶三十兩銀子，打一張契約，唐才子就留在陸府當奴婢。昭容小姐看到唐寅的打扮，自嘆弗如，又欣賞唐寅舉止溫柔，當下就要了去，喚名『秋月』。

秋月滿心歡喜，來到了昭容小姐閨房，發現完全不似玉人繡房，倒如瀟灑公子的書齋，架上琴棋書畫，壁間笙簫管樂，明窗淨几，香煙嬝嬝。

一轉身，唐寅發現，牆上竟然掛了一幅自己的畫，唐寅暗笑：『沒想到，我的畫比我的人還有福氣，早一步走進香閨，陪伴玉人。』

昭容小姐不疑有他，一面抹眼淚，一面同情『秋月』的身世，唐寅見此大小姐如此單純可欺，開始賣弄才情：『秋月自小也讀了幾年書，後來又投拜名師，學習丹青，就是琴棋方面，也略知一二，就是父母鍾愛，不捨得纏足，所以至今仍是天然足。不過，幸而如此，否則連奴婢也當不成。』

這一番話，不但掩飾了一雙大腳丫，也讓陸昭容更加同情，昭容問『秋月』：『你眞懂畫？你的名師又是誰？』

秋月故意一皺眉頭，非常慚愧道：『小姐，我拜的是江南才子唐六如居士，小姐房中還懸掛他的畫哩！』

不待他說完，昭容小姐叫了起來：『就是那一位吳門才子唐解元嗎？他的名望可大了，別說我知道，就是大江南北，哪一個人對他的名聲不是如雷灌耳！他的畫是稀世珍貴，不過他平日惜墨如金，人家出了重金還求不到他的眞蹟，他怎會來教你？』

秋月道：『因爲我們沾著一點舊親。』

『眞的？』昭容小姐眼中一片羨慕，唐寅心想，昭容小姐對區區如此崇拜，只要我一露臉，讓她認清唐才子就是區區，說不定是她要來求我了。

閱讀心得

【第989篇】唐寅尋訪八美圖。

傳說中的唐寅男扮女裝，混入陸翰林府中充當使婢，目的是親近陸昭容小姐，改名爲秋月。

昭容小姐極爲欣賞秋月，她對秋月說：『既然你說唐寅是你的師傅，名師出高徒，你的手筆自然不會差到哪裡，我這裡有現成的紙筆，你就隨意繪一幅給我看一看。』

唐寅立刻精神奕奕，當下畫了一幅松鶴遐齡圖，並且表演了一手琴棋書畫，昭容小姐呆住了，她想，這樣一位才女，怎麼老天忌才，使她淪落到如此境遇。

當天晚上唐寅假扮的秋月，奉命與另一女婢春桃同床而睡，唐寅累了一天，很快睡去，上黑甜香中尋找好夢。春桃仔細一瞧，自然很容易發現秋月是個年富力強的男子。

春桃燃著燈火，推醒唐寅，怒容滿面，雙眉倒豎的準備審問唐寅。

唐寅急急忙忙從被窩裡一躍而起，跪倒床邊打躬作揖，逼低喉嚨連叫救命。

春桃指著纖纖玉手責問：『你是何人，竟敢這樣大膽，混入小姐繡閣？』

唐寅先是表明身分，繼而懇求春桃：『但求姐姐鑑憐我一番苦衷，幫助小生，玉成了小姐這頭姻事，小生一定將姐姐收作二房，同回姑蘇永偕白首。』

春桃早知唐寅是多才多藝、少年高弟的風流才子，驚喜不已，但是又不相信道：『你說你是吳門才子，又有何憑證？你若是信口胡說，我是不饒你的。』

唐寅從貼身汗衫上摘下一小顆玉印送到春桃面前道：『姐姐，請瞧，這是小生的書畫印章，你總可以相信了吧？』

春桃高興極了，答應大力幫忙。

第二天，昭容小姐拜見老夫人，大加誇讚秋月：『這新使婢秋月，舉止端莊，言語溫雅，不似鄉村女子，簡直似一位大家閨秀。』

陸老夫人出身詩禮之家，且見多識廣，對名書名畫也鑑賞不少，見了秋月的『松鶴遐齡圖』，驚訝萬分道：『啊，這簡直是大家手筆，哪裡是什麼女子的寫作。你去把秋月叫來，我倒要當面試她一試。』

唐寅精神抖擻，立刻又畫了一幅『瑤池獻瑞圖』。

老夫人讚不絕口道：『這比你老師唐寅畫得還好，不如與昭容結義成了姐妹，可以切磋學問。』

陸翰林也馬上同意，擺下豐富酒菜，行了結拜儀式，這一來，秋月身分提高，晚上不能再與婢女春桃同睡。

果然，昭容小姐飯後上樓，焚上一爐清香，要她新結義的妹妹操琴一

曲，唐寅心想，機會來了，立刻調和絲絃，施展生平絕技，對著美人彈一曲『鳳求凰』，接著又聚精會神，操上一曲『紅豆相思』，把昭容小姐聽得如癡如醉，目不轉睛，連讚美的話都說不出來。唐寅則飽餐秀色，也不知不覺怔怔的呆住了。

唐寅故意轉彎道：『我那師傅唐寅，自從逃出寧王府，逃避奸佞，如今不知身在何方，否則師傅與小姐眞是珠聯璧合，天造地設。妹子不才，倒想拉攏這一條紅線。』

奇怪，昭容小姐只要一聽到唐解元，馬上粉頸低垂、雙頰微紅，春桃見機不可失，把小姐拉入房內，湊上耳邊道：『這位二小姐十分怪異，喉間有結，胸部平坦，又有一雙大腳，小姐，你可得調查清楚啊。』

昭容小姐點點頭，出了房門，春桃送來一盃香茗，讓兩位小姐潤潤喉，果然，秋月的喉結一上一下。

昭容小姐又羞又憤，一手扶著春桃的肩頭，支撐自己，一手戟指著唐寅，顫顫抖抖道：『你……到底是誰？……』

昭容小姐只問了這一句話，一口氣便噎住了，手足冰冷，渾身格抖抖的戰慄不已。

唐寅胸有成竹，抱起雙拳深深一揖，滿面笑容，放低了聲音道：『小姐勿驚，小生便是姑蘇唐寅，罪該萬死，祈求小姐開恩寬容，容小生一一見告。』

春桃故作聲威道：『唉呦，這還了得，你當真是一位男子？怎麼喬裝改扮，混入人家深閨？』

昭容小姐喘定了一口氣，回手向唐寅一指道：『難道你不知道有王法嗎？』

昭容小姐雖然嘴上如此說，其實，她聽到唐寅二字，一腔怒氣已去大半。唐寅何等機警，兩道目光，早已窺進了美人心坎，又深深向前一作揖。

昭容小姐雖然兩片桃腮鼓得緊緊騰騰，然而從那冷靜的目光裡，那張吹彈可破的白嫩皮膚裡，隱隱看出脈脈含情的笑容，似乎在告訴人家：『對方果眞是唐才子，那我有甚麼不願意……』

果然，沒多久，陸翰林中一主一婢二位美人，首先成爲八美圖中二位佳麗。傳說中的唐寅，輕而易舉擄獲神聖不可侵犯的官家小姐。可惜眞實的唐伯虎無此艷福。

閱讀心得

【第990篇】

唐寅一箭三鵰。

傳說中的唐寅與祝枝山、文徵明、周文賓三位解元打賭，誇下海口，要在三個月之內，覓得八位絕世佳人，情情願願與他先後完婚。

唐寅到了南京，沒多久，贏得了陸翰林府中千金陸昭容小姐，以及婢女春桃的芳心，八美圖中已有二美在列。

祝枝山不以爲然道：『陸翰林府中一主一婢，照理只能算一個，好，就算二個吧，其他六位美女頂多只能在一個月中一齊到手，而且得由我審定，當得起美女二字的名號。』

唐寅一笑：『情人眼裡出西施，審美觀點各自不同。』

祝枝山是個大近視，他不甘示弱道：『我祝枝山雖然眼睛有一點毛病，可不見得連人的美醜都定不出。我不明白，爲甚麼時常要在你這個小白臉身上操心思。』

唐寅又重施故技，扮作女兒身，前往羅府，向羅家家丁哀求：『我也姓羅，閨名叫翠姑，同哥哥一起看花燈，不小心失散，深更黑夜，怕遇歹人，希望能借宿一晚。』

家丁是一個好心人，帶著唐寅入內，唐寅看到了羅家小姐羅秀英，以及秀英的表妹——謝吏部千金天香。二位小姐都是如花似玉，美麗絕倫。

當天晚上，唐寅在羅秀英閨中一張湘妃榻上歇宿了一夜，第二天，謝家派人到來，說是謝老夫人舊疾復發，迎接謝天香小姐回去侍奉母親。唐寅暗暗歡喜，預備先釣上了羅秀英，再去釣謝天香。

當天晚上，唐寅就放大膽子，單刀直入向羅秀英說明來歷，苦苦要求，要她面許終身。

秀英當然也先是驚惶失措，可是，看一看唐寅那英俊迷人的儀表，江南才子的聲名，又必然對自己萬分垂愛，才喬扮女兒身猛下工夫，可見這是天賜良緣。

秀英雖然心中答應，到底是有身分的大小姐，臉色一變，立刻擺出一副端莊凝重的態度，向唐寅提出了三個條件：一、留下一丹青為信物。

二、天一亮立刻離開羅府。三、找一位德高望重的人，依照正當儀式求婚。

唐寅當然一一答應。離開羅府之後，走到大街，備上幾色禮物，專程前往謝府，拜望謝天香小姐，順便問候謝夫人病痛。

同樣的，在唐寅半硬半軟、連說帶哄的苦苦相求下，謝美人也含羞帶愧的允許了他的要求。

唐寅與謝天香話別之時，忽然之間，蓮花庵內的九空尼姑帶著一位小沙彌走了進來，說是『因爲老夫人以前在大士座前許下心願，今想在庵內誦經禮懺，請夫人小姐拈香拜佛。』

唐寅發現九空尼姑年紀很輕，艷麗非凡，一頭長長青絲飄逸，原來尚

未正式落髮，唐寅不免心頭一陣蕩漾。

九空尼姑也暗暗稱奇：謝府之中從來不曾見到如此美貌姑娘。

兩位『美女』一見如故，唐寅握住九空尼姑的手，十分殷勤的說道：『我在這裡等你，你去見了老夫人出來，我也趁機去寶庵，燒一枝香，磕幾個頭。』

唐寅跟著九空尼姑來到蓮花庵，先在觀音大士面前禮拜，接著又到各處菩薩面前，一一點過香燭。

九空尼姑拉著唐寅來到房內，喝茶談心。

九空一臉素淨，正準備擇期正式落髮，皈依佛門。她看起來好美，秀麗端莊，法相莊嚴，唐寅望著她那一頭如雲如錦的黑髮，忍不住道：『絕不可落髮，這麼美的青絲。』

九空尼姑攏一攏秀髮，萬般無奈道：『我遁跡空門，也是出於無奈，人生好苦。』說著，九空尼姑想起身世坎坷，家道中落，心中一酸，熱淚滾滾，又怕外邊女尼聽見，極力想要忍住，但是視線已經模糊，只忍住哭聲，卻堵不住淚水。

『我現在只想修修來世。』九空尼姑哽咽道。

『出家也不是一件容易的事。』唐寅說。

『前世因，今生果，我也常在想，莫非前世作了孽，今生承受這樣的苦。』

『可是，你也不能說，要撒手就撒手。譬如，你與唐寅的一段姻緣，該如何了結？』

『唐寅？你指的是江南第一才子唐寅？我父母雙亡，孤苦零丁，哪有福氣見到唐寅？妹妹說笑。』

『在下正是唐寅，仰慕佳人，喬扮女裝，尚請原諒。』唐寅深深一作揖。風度翩翩，果然是美男子。

機靈的唐寅發現，就在這麼一剎那之間，九空尼姑眼中神色大不相同。原來是靜穆多於一切，完全是洞徹大千世界，心如止水，現在不一樣了，翦水雙瞳之中，流露出一種似乎期待已久的渴望，雙頰隱然透出霞光。她本是多情種子，遁入佛門，也是無路可走，如今既然遇到了名聞四海，貌若潘安，才如子建的堂堂解元，怎不生敬愛欽慕之念。

於是，唐寅一箭三鵰，八美圖中再加三人。

連這位與青燈古佛相伴的小尼也被唐寅擁有，不過，真實的唐伯虎無此一段風流韻事。

閱讀心得

【第991篇】
八美完婚嫁唐寅。

傳說中的唐寅繼續獵艷，向八美圖的目標邁進。他男扮女裝，吸引了寧輔之子馬文彬。唐寅將計就計，混入馬府，與馬文彬的胞妹馬鳳鳴一見鍾情，定下終生，當晚，睡在鳳鳴外房。

第二天早上，唐寅知道，馬文彬發現眞相之後一定惱羞成怒，因此，他先發制人，把臉兒一擺，教訓馬文彬道：『我乃吳門才子唐寅，只因江寧府大老爺聽說你平日沈緬於酒色，作惡多端，命我假裝女子來探訪，果然你是壞蛋，又在酒樓上題淫詞，又把我這密探哄到家中，心存不軌，該當何罪？現在我與你沒有別的話說，咱們一起去見府尊老爺。』說著，聲勢洶洶，扭著馬文彬就要走路。

可憐的馬文彬青天霹靂，他一直不曾合眼，計畫如何成婚。作夢也沒想到竟然帶回一個男子，還讓他在妹妹房內睡了一晚。事情如果傳開，堂堂相府的顏面何在？

馬文彬又羞慚又氣憤，又沒可奈何，只得哀哀求饒，『放寬一馬，咱們有話慢慢商量吧。』

另外，馬文彬又到外面找了人向唐寅說情，『請求高抬貴手，顧全相府顏面，千萬別把這事宣揚開來，馬文彬日後一定改過，並且願意把妹子嫁給唐寅。』

唐寅聽了，滿心歡喜，卻又裝腔作勢做作一番，教訓了馬文彬幾句。馬文彬趕快設筵款待，並且商定了約聘迎婚的一切手續，唐寅這才告別，心中有說不出的甜蜜歡欣。

以上六位美女都是唐寅費盡了心機才得手，第七位佳人卻是無意之中遇到。

有一天，唐寅郊外散心，突然瞥見籬笆內一位少女在灌溉園蔬，這少女清秀絕倫，動作輕緩，只見她認認眞眞，安安靜靜在澆菜，臉上莊嚴肅穆，彷彿在完成一件藝術作品，唐寅看呆了，少女卻渾然不覺。

唐寅向附近鄰居打聽之下，知道這位小家碧玉，名叫蔣月琴，耕讀傳家，門第雖不甚高，家世卻很清白。唐寅找了祝枝山，請他直接上門提親。蔣月琴的父兄，一聽是吳門才子唐寅，田舍之女能如此高攀，豈有不答應的理由，這檔婚姻就順利完成了。

最後只差最後一位了，唐寅靈機一動，跑到妓院中探訪，果然找到一位二八佳人的李傳紅。

這李傳紅原是官宦後裔，只是家道中落，舉目無親，不得已落入勾欄。她不但如花似玉，並且滿腹詩書，在妓院中不賣笑不賣身，守身如玉，不苟言笑，懷著一肚子隱痛。可是因爲她太美了，又是才女，許多尋芳客還是忍不住挨近她，李傳紅卻看不起這些俗物。這番被唐寅看上了，唐寅順利把八美迎娶回家，有大家閨秀，有小家碧玉，有尼有妓，充分滿

足男人佔有心理。

他把八位美女帶回蘇州，將桃花塢當成了藏嬌金屋，又因爲四娘娘九空皈依佛教，歡喜清靜，特別造了一座桃花庵，讓四娘娘誦經拜佛。於是，唐寅整日看花飲酒，賦詩下棋。桃花塢中芳草鮮美，落英繽紛，讓人迴腸盪氣，俗慮盡滌，唐寅便在志得意滿之餘，寫了一首『桃花庵歌』，形容自己『但願老死花酒間，不願鞠躬車馬前。』瀟灑自在的心境。

此時正是金粟飄香的秋季，有一回，祝枝山、文徵明、周文賓三人前來相聚，祝枝山看到八美其樂融融，順口唸道：『再來一個八變九，九秋香滿鏡台前。』

周文賓一旁打趣：『唐兄既然八美團圓，再來一個八變九，自然也不是難事，但是，恐怕八美含酸吃醋，小唐也沒有這一股勇氣能夠打通這一條路。』

唐寅被這麼一激，眞的就想再覓得一位絕世佳人。

中秋夜晚，唐寅與八美賞月之時，羅秀英突然間開口：『恐怕大爺之後還有九美之喜呢！』

春桃接口：『那可好極了，我可以添上一個妹妹了。』春桃看看七位姐姐抿嘴一笑：『但恐八美易得，九美難覓。』

唐寅聽她說完，由不得鼓掌大笑：『哼，你也太小覷我了，你既然這樣說，我非再找一位九美給你瞧一瞧。我娶了八位美女，宛如一座九級浮屠，再有一級，便是塔頂。但是就怕後來居上，其他八級不肯答應。』

陸昭容生性十分豪爽，她『哼』的冷笑一聲：『你啊，是躲在門縫中瞧人，把人給看扁了。我既然允許你娶這七位妹妹，難道容不下再來一個？我是擔心你找不到美女，只找來俗粉庸脂。』

唐寅見計得逞，把眼光向其他七位美女一溜，呵呵大笑：『妳一人答應，又有何用，一隻碗不響，七隻碗依然響叮噹。』

一言未了，七位美女同聲嬌嗔：『只要大娘答應，我們都和大娘一般態度，就怕你沒那個能耐，娶一位九房妹妹進來，勝過我們是意料中事，勝過大娘，想也休想。』

唐寅十分得意，笑笑道：『一個月之內，讓你們瞧瞧手段。』

八位美女都以爲丈夫是一時遊戲之談，不料，第二天早餐過後，唐寅便改換服裝，獨自一人，飄然出門。走到了虎邱山門，但見兩旁陳列了許多攤販，舉凡糖果糕餅，綾羅手帕，胭脂花粉，香燭銀錠，以及生髮油一切都有，唐寅半點興趣都沒有，他的目的是要再訪一位絕世佳人。

閱讀心得

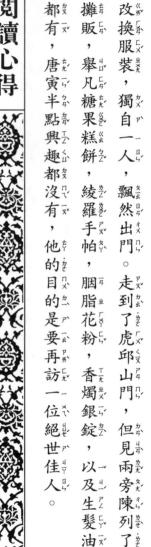

【第992篇】九秋香滿鏡台前。

傳說中的唐寅，帶了八位嬌滴滴的美女回到蘇州，仍然意猶未盡，在祝枝山的慫恿之下，他又興匆匆的出外訪美。

唐寅來到了蘇州的虎邱，發現許多人在進香，這正是大好良機。由於家中八位嬌妻，個個花容月貌，絕代容華；所以普普通通，三分姿色七分化妝的平常女子，實在難以讓他看得入眼。

他到處瀏覽，十分失望，別說怎樣艷麗，就是稍微看得過去的，也不曾見到幾個。正待敗興下山，突然聽到一陣吆喝，接著就有幾名健壯的僕人，揚起手勢，大聲叫道：『閒人站開！』唐寅向人叢中一擠，隨著衆人閃立一旁，踮起腳尖留神一看，只見大轎之中，端坐著一位老太太，後面有四乘小轎，原來是四名年輕侍女。

其中第一二位不怎麼起眼，第三名侍女一出現，唐寅猛地覺得眼前一亮，驚呼一聲，『妙啊！』還暗暗的恨著兩隻眼睛不爭氣，爲甚麼過了一會兒便要這麼眨上一眨，耽誤了欣賞美人。忽然一陣風吹來，唐寅眼尖，發現美人兒的纖纖三寸金蓮，彷彿剛自泥裡透出來的新筍一般尖瘦，不由得心中怦怦亂跳。

唐寅心想，天下竟有這般美女，而這個美人又是生在侍婢堆中，眞是蘭桂生幽谷，照她的姿色，非但壓倒家中八美，簡直是舉世無雙。

正在此當兒，絕世佳麗扶著太夫人走進了大殿，唐寅連忙緊緊隨入，但聽得太夫人對著美貌侍女說道：

『秋香，你瞧這一座佛殿，多麼莊嚴。』

那侍女答道：『是的，太太，與杭州靈隱寺相去不遠。』

唐寅聞之大喜，原來這位俊俏的婢女芳名秋香，他猛然想起祝枝山喝酒行令時所說的那一句『九秋香滿鏡台前』，禁不住連呼奇怪，這分明是天授良緣。

太夫人回頭吩咐道：『你們四個，春香、夏香在前面兩個蒲團上拜，後面兩個讓秋香、冬香去拜，拜完了到方丈這裡來伺候我。』

太夫人說完逕自走了，四名侍女遵照囑咐，分別盈盈下拜。唐寅逮著機會，把身旁的一個蒲團輕輕一踢，踢近秋香身邊，雙膝一屈，也就輕輕跪下來。

唐寅發現秋香之美，就是自己擅長的一筆丹青也不易表達，尤其是她一雙靈動秀媚的美目，說不盡的艷麗，話不盡的嬌美！簡直風魔了這位唐解元。

唐寅有意無意跪住了秋香的一隻裙角，秋香合掌、他也合掌，秋香磕頭、他也磕頭，秋香伏地禱告，他也喃喃自語：『佛天在上，但願翰墨林中的才子，配一個青衣隊中的佳人。』秋香聽著尷尬，這位眉清目秀的男子，分明是故意打趣；她粉頸低垂，微含嬌羞，發現裙子被那青年跪住，輕輕說一聲：『請先生偏過一點。』唐寅裝著沒聽到。

秋香站不起來，輕輕的再說一聲：『請先生偏過一點。』唐寅還是裝作沒聽見，反而自言自語向菩薩禱告：『但願丫鬟嫁一個美少年，佳人才子，成就三世良緣。』

秋香惱了，柳眉含怒，斜過臉來對唐寅說：『你這個男子，怎麼這等無禮？』

這時，春夏冬三香已站了起來，不問情由，開口便罵：『天殺的，你這個人不長眼珠。』夏香尤其兇悍，不分青紅皂白，將唐寅猛的一推，唐寅冷不防身子向左一側，右膝一鬆，秋香才乘勢抽出裙角，臉上深深映上兩朵羞赧的紅雲。

其他三姐妹仍然罵不絕口，秋香阻止道：『別睬他，我們伺候太太去吧。』唐寅見秋香分明在迴護自己，覺得秋香愈發可愛，剛才一幕鬧劇，實在快活有趣。

一會兒，華太夫人出來了，唐寅感到秋香正溜過兩道俏皮眼波在看他，並且張開櫻唇在呼喚他，情不自禁直闖過來，家丁趕過來連聲吆喝。華太夫人阻止道：『人家也來燒香，不得無禮。』

秋香原本目不斜視，經太夫人一說，眼光向前一溜，原來正是方才跪住自己裙角、滿口胡言的少年，一時忍不住，抿著櫻唇微微一笑，這一笑不打緊，唐寅神魂飄忽，這便是『三笑姻緣』中的第一笑。

華太夫人一行乘著轎子，來到河邊，上了大船。唐寅不死心，也僱了一條小舟追趕過去。小舟的漁夫十分嚕嗦，唐寅就捉弄他一番，唐寅對漁夫說：『你爸爸是打米種田的，我如今爲你取一個文雅的姓名，讓你處處顧到，你不如就叫米田共吧。』

漁夫原本目不識丁，哪知唐寅惡作劇，反而拱手相謝：『相公爲我定下這個好名字，從此我一輩子就叫米田共。』他不曉得米田共就是『糞』字啊。

唐寅支使米田共靠近大船，並且高唱『秋香山歌』——『桂花開在月宮裡，月裡嫦娥愛秋香，秋香不獨仙人愛，小生君子思念秋香。』

大船中的秋香十分訝異，這個唱山歌的不是明明和我開玩笑，怎麼左一個秋香，右一個秋香，秋香趁著爲夫人倒洗臉水，推開紗窗向下一望，再也沒有想到，小船上坐著一人就是跪住自己衣角的少年，她又驚又慌，芳心亂跳，此刻水盆中的水正潑在唐寅身上，唐寅正目不轉睛望著秋香，迷迷糊糊完全失去知覺，衣襟淋濕也不曉得，兩道目光只顧釘在秋香身上。

秋香見唐寅，衣著被人淋濕，似乎完全不知，心眼彷彿被喜氣完全籠罩住了，迷迷糊糊兩道呆滯目光射定在秋香臉上。秋香心想，世界上怎麼有這樣的痴人，忍不住又是微微一笑，立即扭轉嬌軀，回到船艙中去了。

唐寅如夢方醒，伸著兩個指頭一比道：『不用說，這自然是二笑留情了，由此可知白天一笑，畢竟不是無意。』

唐寅得意揚揚的搖著腦袋，後面的米田共聽見了，他問：『相公你在說甚麼？』

唐寅急忙掩飾道：『我在這裡吟詩。』

米田共笑道：『原來相公在迎濕，果然衣服濕了大半件。』

晚上，唐寅怎麼也睡不著，一直想入非非，接著又自問自答起來：

『秋香姐姐，你此刻已是安睡了嗎？只看我輾轉反側，可知她一定不能成眠。秋香姐，你是有情於我嗎？一定是的。只看她在虎邱拜佛，我跪住了她的衣角，她並不惱怒，只不過淺嗔薄怒，分明是萬分愛惜。等到春夏冬香辱罵我，她又喚著她們入內伺候老夫人，這分明是替我解圍。後來，上轎之前，她又對我微微一笑，這是崔鶯鶯的臨去秋波，尤其顯得萬分情重。後來，船艙會面，她又對我微微一笑，這更是千嬌百媚楊貴妃的回眸一笑，還能説她無情於我嗎？』

這時的唐寅，心頭覺得無限甜蜜，説不出的愉快，聽到米田共齁齁的鼻息，不覺起了幻想，彷彿自己爬起身來，按著大船的船舷，隔著窗兒，見到秋香倦眼惺忪坐在榻邊，一陣陣沁人心脾的幽香，從小圓孔直透過來。

秋香發現唐寅，湊到窗口低低説：『解元爺千萬小心，別把開船人驚醒，快快跨過窗來。』

一面説，一面放下兩條雪藕似的玉臂，唐寅緊緊握著兩隻纖纖玉手，正要跨上船來，忽然有人大喊『捉賊』，唐寅大吃一驚，疊疊呼喊：『姑娘救我！』

『相公放手！』原來，唐寅在作夢，他相思成痴，把米田共兩條又粗又黑的毛腿，當成秋香的玉手。

第二天，大船小船靠了岸，唐寅看到看管行李的秋香，抱起雙拳一拱到地，口稱：『昨晚蒙王母灑了小生甘露，小生感激難言，今天特來道謝。』

秋香一看是昨天痴人，起先有點嬌嗔，後來聽了唐寅的話，忍俊不住，不由得抿起櫻唇又是微微一笑，笑得唐寅心花怒放。她的桃腮上仍留著一層尚未完全收盡的笑意，唐寅在秋香三笑後，簡直失魂落魄。

閱讀心得

【第993篇】

華安書僮。

傳說中的唐寅，在秋香嫣然三笑之後，神魂顛倒，意亂情迷，因此，當秋香上轎，返回華府之際，唐寅眼看著秋香上轎，著急得幾乎要叫起來，兩眼望著相府大門，呆呆怔怔的出神。

唐寅心想，非得想一個方法，混入相府才能夠會玉人。他準備降低身分，裝著窮途落魄的模樣，好進入華府當下人。

唐寅慢慢的踱到華府門前，往石階上一坐，開始哀哀哭泣，他想起奸佞當道，他卻因才高遭嫉，受人中傷，不能在朝堂大展經綸，只落得隱在花酒叢中，借著酒色二字保命，一時悲從中來，弄假成眞放聲大哭。

華府裏的門公王錦跑出來問原由。唐寅哭哭啼啼道：『出門經商，半途碰到了騙子，回家不得。』

王錦聽著心煩，吆喝道：『這得怪你自己不小心，你愛哭，上別處哭，這兒容不得你哭哭啼啼。』

唐寅搥胸長嘆，搖首頓足：『我到這一步田地，還要聽這一番言語，不如一死了之。』說著，放開大步，搖頭垂淚直往河埠奔去，王錦一個箭步向前，把唐寅的衣襟扭住，大聲道：『好死不如惡活，有話盡可以商量，我自有方法救你。』

王錦心生一計，原來這時相府之中正開革了一名書僮華安，還沒有人補缺，如今唐寅年紀又輕，相貌又好，豈不正妙。

王錦稟過華太師，就把唐寅帶入相府之中。華鴻山華太師生平見識的人也不曉得有多少，目光何等厲害，唐寅一走進來，不做一個貧賤之輩，一時情不自禁，撚起長髯說了聲：『奇啊。』

原來這時的唐寅，雖然打扮成平民模樣，到底『腹有詩書氣自華』，他滿腹珠璣，清秀之氣流露眉宇，讓華太師好生狐疑，華太師挑著眉毛問唐寅：『老夫瞧你是個文人，不知你爲何要降低身分，上門投靠？』

唐寅恭恭敬敬答道：『只因小人讀了幾句死書，不能在田畝工作，以致落得這樣狼狽，久仰大師馭下有恩，人人悅服，因此，情願登門投靠，以供驅策。』

華太師見唐寅出言不俗，又被唐寅戴了一頂高帽子，立刻命人端來文房四寶，讓唐寅寫一章賣身契。唐寅取了一個假名康宣，寫道：

『我』康宣，現年一十八，原籍姑蘇，家世清白，向無過犯，只

『爲』家境清寒，自願賣身相府，充當書僮，身價銀五十兩，自

『秋』季始，暫存賬房，待三年後支取。今後承値書房，專司焚

『香』、掃地、磨墨、洗硯等事，聽候使喚，決不懈怠。

這張賣身契，其實把『我爲秋香』四個字嵌在裏面，華太師看不出來，只不住想，這小子的書法眞好。

唐寅爲了思念婢女秋香，雖然冒險混入華太師相府，心中也忐忑不

安。

華太師倒是十分欣賞唐寅，他捋著飄拂過胸的長髯問道：『你是姑蘇人氏，那麼，你認識杜翰林嗎？』

唐寅一聽糟了，杜頌堯是我的好朋友，怎麼不認識，但是一相見之下，機關破露，豈不前功盡棄。

於是，唐寅謙讓道：『杜太史是何等人物，小的是蓬門賤子，相隔天壤，素不相識。』

不料，華太師興奮的接道：『那位杜太史也是愛才如命的人，你去見他，一定會特別賞識，隨我去客廳吧。』

這句話可把風流才子急得怔住了半晌，好容易才想出了一個脫身之計，連忙屈著一膝，向華太師請罪道：『小的賣身投靠，原是出於無奈，若讓故鄉人知道了，一則玷辱祖宗，二則也實在慚愧。』

華太師聽了，十分讚許道：『羞惡之心，人皆有之，好，你不必隨我去了，你改了華安名字之後，就換換衣服，小心伺候小主人。』

所謂小主人，指的是華太師的二個兒子，長子華文、次子華武，兩個都是呆頭呆腦，胸中沒有半點文墨，不過，到底是堂堂相府，因此兩兄弟的媳婦都是四德兼備的名門閨秀。

唐寅一一拜見華府家人，他人漂亮，又是玲瓏剔透，懂得交際，到處大受歡迎。他所擔心的是，二公子夫人正是自己的表妹，姿容豔麗，才勝於貌，非常能幹。

二娘娘與秋香十分投緣，秋香所認識的文字，一大半還是她教導出來的。秋香回府之後，曾經把一路上遭到書呆子跟蹤之事告訴二娘娘，二娘娘當時就懷疑莫非就是表兄唐寅。

這一會兒，來了一個書僮康宣，分明就是唐寅的變相，萬一事情敗露，自己少不得也受到翁姑的責備，因此，二娘娘命新書僮上樓叩見。

唐寅眞不想對表妹屈膝，沒可奈何進了來，頭低低的，腦袋縮得差不多要陷入肩窩，遠遠的一跪，尊一聲『二娘娘在上，新來僮兒華安叩見。』撲通撲通磕了兩下響頭，起身就要走。

一旁僕兒素月喝住：『奴才見主母，沒吩咐起立，豈敢站起？』

二娘娘不以爲然道：『年紀輕輕，爲什麼來當奴才，何不向親戚求助？』

唐寅知道二娘娘一眼認出他來，惱恨道：『親戚死光了。』

二娘娘又好氣又好笑，指著他道：『你的來意，我很明白。一定是爲了葉下洞庭，荷開水殿。』

唐寅暗想，不愧才女，駱賓王有首詩〈葉下洞庭秋〉，徐陵有首詩〈荷開水殿香〉，分明二娘娘了解用意。

唐寅叩了一個頭：『二娘娘既知肺肝，但求成全。』

二娘娘歎口氣勸道：『堂堂相府，禮法森嚴，萬一鬧出笑話，非但你不能存身，我們蘇州人面皮，也要被你削盡。』

唐寅自然不會死心。

閱讀心得

【第994篇】

石榴十八鏟刀生炒肉絲。

傳說中的唐寅因爲愛慕秋香，混入華府，成爲名叫華安的小廝。他無法親近秋香，卻讓華府上上下下的奴婢爲他瘋狂，尤其是掌管小廚房的石榴。

石榴滿面含笑的問唐寅：『華安兄弟，聽你的口音，不像本地人氏，府上是哪裡？』

唐寅正正經經回答：『小弟是蘇州人氏。』

石榴道：『巧極了，我也是蘇州，請問是蘇州哪一邊？』

『蘇州城外野貓弄。』

石榴道：『我也是野貓弄，世上竟有這等巧事？』

唐寅幾乎快要笑出來了，蘇州哪有什麼野貓弄，他胡謅一個野貓弄，意思是自己是一隻小野貓想要偷吃腥。

石榴和唐寅坐在一條長板凳上，石榴說著說著，又把身子挪近些，兩人的距離愈來愈短，唐寅不覺暗暗好笑，心想，若是秋香這般熱烈遷就，那該多麼快活。

唐寅打量了一下石榴，雖然也有幾分姿色，但是這女孩入相府幾年來，心中鬱鬱不樂，成爲一張憔悴的削骨臉。就像現在滿面含笑，眉宇之間也有肅殺之色，很難親近。

石榴又問：『華安兄弟，今年多少青春？』

唐寅望著自己的足尖道：『小弟今年一十八歲。』

石榴道：『不信會巧到如此地步，我也是一十八歲啊。』說著又挪近一點。唐寅見石榴一步步挨近，自然退縮，凳腳一個傾斜，兩人同時撲翻在地，石榴裝腔作勢道：『小兄弟，快來扶我一扶。』

唐寅怔住半晌，沒可奈何將她扶起，石榴緊握著手，嬌喘吁吁道：『這就叫做倒(到)成雙啊！』

唐寅嚇壞了，連忙脫身道：『好姊姊，來日方長，我們有機會再談就是了。』這一句好姊姊，把石榴叫得筋骨一寸一節的融化，靈魂不知道飛到了哪裡，沈醉了好半晌，方才恢復原狀。

自此以後，石榴魂不守舍，有一回，春香伺候太夫人點心，一碟子甜的是桂花松子泥棗軟糖粒，一碟子鹹的是雞絲油酥飯，結果甜的裡面有棗子核，鹹的全是油膩氣，完全不似往日爽口。

春香趁機告狀：『向來石榴擅長刀鏟，尤其十八鏟刀生炒肉絲，以前她拿了鏟刀，全副精神就在刀鏟上面，旁邊就是出現一隻活獅子，她頭也不回，所以她炒的菜又鮮又嫩，點心也全是細磨功夫。如今手裡炒一下，眼睛瞄一下窗外，看個不停。有一天正在起油鍋，正好華安兄弟經過，她夾七夾八非纏住華安不可，忘了鍋裡的油，差一點引起了火災。』

太夫人大吃一驚道：『這個小賤人，竟然這般無法無天。』

春香聽到石榴挨罵，心中暗喜，因爲她也喜歡華安。

太夫人不以爲然道：『難怪肉絲變得這樣老，我一點也咬不動，聽説還差點釀成火災。這石榴太不像話了。』

於是，太夫人把石榴找來，劈頭一場痛罵。石榴從來不曾如此被教訓，不得不分辯幾句，她抹著眼淚道：『丫鬟與華安兄弟同是蘇州人，他新來乍到，不明白相府規矩，我看在同鄉分上，事事指點，那是有的；若説天天叫他到小廚房説説笑笑，那是沒有的，丫鬟絕不肯這般自輕自賤。講到油鍋起火，那是老媽子不小心，丫鬟隨手就把鍋蓋蓋上，豈有幾乎燒掉大小廚房之事。』

太夫人説：『不過，你這幾天燒的菜，不是太鹹，便是太淡，你要不是為了旁的事分心，怎麼會這樣？這可與老媽子不相干了吧。』

石榴低著頭不能不承認，沒精打采走了。唐寅同樣沒精打采，伺候華文、華武兩個傻瓜讀書，始終見不著秋香。

有一天，唐寅為華文、華武端飯盤，遇到石榴，見石榴清瘦許多，向她點了一下頭，石榴因為被太夫人訓斥一番，也不敢再招呼華安，在長板凳上談心了。

唐寅耳朵很靈，遠遠聽到一陣弓鞋踏步之聲，躲入牆角，原來走來的不是別人，正是時時刻刻、心中念念不忘的秋香姊姊，唐寅急忙走出兩步，恭恭敬敬，輕喚一聲：『秋香姊姊，今日相遇，可謂三生有幸，只是小生飯盤在手，不能舉揖，敬請原諒。』

秋香幾乎失聲笑了出來，小說戲劇之中，經常有人說：『小將甲冑在身，不能下拜。』人家是身披盔甲，不能下拜，如今卻是聽到『飯盤在手』，太好笑了！秋香問：『你是誰，爲何攔住我的去路？』

唐寅道：『姊姊啊，難道你不認識小生嗎？若非姊姊多情，給我小生三笑，我唐寅豈是低三下四之人，甘願拋了一榜解元，到相府之中當書僮。你是小生的勾魂者，我是你姊姊的心目人，你用三笑三條繩索，將我套住了，束縛得不能自由，要解去繩索，非姊姊不可。』

秋香道：『這弄堂之中，不是講話之地，被人撞見，豈不有愧，我有一個秘密之所，你且跟我來。』

唐寅一聽，好不欣喜。秋香領路，來到一間柴房。秋香突然一聲『不好，有人來了。』一伸手把柴門拴上，順手用鐵扭拽上，一個人走遠了。

唐寅坐在石凳上等候，原以爲過一會兒，秋香就會進來，誰知道等了半天，全無消息。他走到門邊，用手推拉，休想推動半毫，這才知道，上了秋香的當，不由暗暗叫苦，秋香啊，你太無情了，我只求你千金一諾，交換了信物，我便可以返回蘇州，你卻如此作弄我，我是發乎情止乎禮的人，你難道怕我對你無禮嗎？唐寅自言自語，懊惱萬分。

唐寅一心巴望接近秋香，卻被秋香給關入柴房之中，讓唐寅十分傷心，不過，他是個愈挫愈勇的人，經過這一激，更加強了鬥志。

一次，華太夫人命華安（就是唐寅）繪一幅觀音大士圖。唐寅見機會來了，便向太夫人稟明道：『小人繪寫觀音慈容，非是尋常畫件可比，必須凝神默想，請派一名使女，幫同小人，焚香磨墨攤紙，方能專心繪成。』

這一下春香、夏香、冬香個個爭先：『小婢願意焚香磨墨。』惟有秋香，並不討差。可是華安的眼光，正盯住秋香臉上，分明是看中了秋香。唐寅的表妹正是華府的二娘娘，這一回有心幫助表兄，因此啓稟婆婆道：『媳婦看來，唯有秋香，心細如髮，而且個性潔淨，最爲合宜。』太夫人點頭稱是。秋香心中，甚是不願，但主人吩咐，未便拗違，只好跟了唐寅，來到東軒，伸出了嫩藕一般的手腕，挪動著春蔥一般的指尖，拿著一錠古墨，輕輕細磨。

東軒之中香煙繚繞，窗外畫簾掀動，唐寅細細對著秋香看著，但是秋香眼對鼻，鼻對心，一語不發，只管磨墨。

唐寅耐不住輕輕喚道：『秋香姊，今天有勞你了。那天你在柴房，做了好棘手的事，我差一點餓死在裡面。』

秋香故意把臉兒朝向外面。唐寅突生一計，他指著秋香背後的香爐道：『奇怪，怎麼煙中出來了一個仙人？』

秋香一扭頭，唐寅趁著這個機會，低頭在秋香的手腕之上，偷吻了一下道：『好香啊！』

秋香上了當，不由得臉上微紅，輕輕道：『你是繪佛像的，怎麼這般輕狂，難道不怕菩薩責罰你嗎？』

由於唐寅這一聲『好香啊』出口太重，太夫人便問二媳婦：『二賢媳，你可知華安爲何喊出「好香啊」三字來？』

二娘心想，這還能說嗎？只有推說：『媳婦不知。』

太夫人笑道：『觀音大士原是一位廣大靈感的菩薩，華安凝神繪像，所以就在空中顯靈了。』說著太夫人也把鼻子朝空中嗅一嗅道：『果然有一陣香氣啊。』

二娘娘暗暗好笑，只好隨著婆婆的樣兒，也嗅嗅道：『好香啊。』

秋香有點急了，催促道：『請華安哥哥快快繪佛像吧。』

唐寅搖搖頭：『我不叫華安，我乃江南第一才子，唐寅唐伯虎。你喚我華安哥哥，還不如喚我一聲唐郎。』

秋香笑了起來，用手帕掩嘴道：『你是螳螂，豈不可怕，是要螫人的，我還是站遠一點好。』

唐寅笑了一笑，開始專心描繪觀音大士。

唐寅描繪觀音，指定秋香磨墨，唐寅落筆眞快，不多時，已經繪成一幅法相莊嚴的觀音大士，確是名家手筆。秋香是個聰明人，從前疑心華安是冒牌的唐寅，現在知道他果然是蘇州鼎鼎大名的唐寅了。

唐寅離家半年，音訊全無，家中八美十分著急，託了祝枝山出外尋訪。祝枝山輾轉打聽，聞說華鴻山老太師家中來了一名出色書僮，料想準是唐寅無疑。

祝枝山邀了文徵明一塊前往華府，果然見到了唐寅，無奈當著華太師面，不便指責：『你身在他鄉，把家中八美全部忍心拋下不成？』

後來，華太師要唐寅送客，這才把話給說了清楚。

唐寅回到了華府，太師問道：『爲何去了好久？』

唐寅說：『因爲祝大爺喚我到船上，詢問小人年歲，又問可曾成親。祝大爺便令小人同往蘇州，他要讓府上全體丫鬟，給小人選一個。』

華太師一聽，勃然大怒，『他家中有丫鬟，難道我堂堂相府之中比不上嗎？』華太師一向愛才，捨不得唐寅走，他拍一拍華安的肩膀道：『你自己放出眼光來，我把所有婢女排立廳上，任你選擇。』

華太師走入內堂，對太夫人道：『我已面許華安挑選丫鬟，包括四香在內。』

話還未畢，秋香噗的一聲，跪倒在太夫人面前：『小婢寧願一輩子侍奉老人家，不願意到大廳上聽點。』

太夫人笑道：『你既然不願意，不去便是了。』

於是，三十六名丫鬟，穿紅著綠，塗脂抹粉，齊集大廳，讓唐寅挑選。只聽到相爺吩咐：『你們要知道，人生的姻緣，要有五百年的緣分，才能成爲夫妻，少了幾年，仍然不會配對爲夫婦。被華安點中的，不要過分欣喜，乃係五百年前注定的；落選的人，也不用悲傷，這是自己沒有姻緣，不能怪罪華安。』

唐寅見不到秋香，不得已，把三十六個丫鬟一個一個批評。華太師不願在僕人面前失去信用，又到上房去對太夫人說：『華安個個不滿意，只怕他會對華文華武的功課耽誤，你快讓秋香出去吧。』

秋香又跪下不肯出去。太夫人安慰道：『好秋香，你若是被華安點中，我立刻將你除去奴籍，與華安結婚之後，我邀集親朋，將你收爲義女，從此以後，你便是相府千金了。』

秋香豈有不願嫁給江南第一才子之理，只是擔心婚後，唐寅一定逃回蘇州，不免有忘恩負義之嫌。秋香來到大廳，唐寅大喜過望道：『秋香姊姊，小弟點中你了，承蒙三笑留情，今天方如心願。』

於是，唐寅帶著俏秋香回到蘇州，與其他八美過著幸福美滿的生活。

不過，這是傳說中的唐寅，與眞實的唐伯虎相去太遠。

閱讀心得

【第995篇】

楊廷和主政。

宸濠作亂，王陽明捉到了宸濠。正德皇帝覺得不過癮，身披鎧甲手執武器，將宸濠卸去枷鎖，放入場中，再演一遍。可惜，宸濠自知死期將近，沒有興致陪同演出，慘白著一張臉，無奈的被正德皇帝再逮一遍。

無論如何，明武宗正德皇帝總算凱旋還朝了，一路之上捕魚射雁，跳跳蹦蹦，十分快活。九月到了清江浦，不肯聽人勸阻，非要划著小船捕魚，結果技術太差，又不諳水性，一個撲通落入水中，左右保駕七手八腳把他撈起來，咕嚕咕嚕冒出髒水。他原本沈溺酒色，健康狀況不佳，溺水之後，元氣大傷，精神不濟。

武宗佞倖江彬一向身強力壯，他是在戰場上，耳朵連中三箭，把箭拔出來照樣衝上前的壯士。他不明白一次落水有甚麼大驚小怪的，因此極力慫恿明武宗『別回京師，京師不好玩，還不如再回到宣化府去靜養』。

一向好玩成性的明武宗卻累了，他經過一番折騰，頗爲吃不消，所以，沒聽江彬的話。江彬怏怏，又想了一個新辦法來安慰自己，假造了一個皇帝的命令，改團練營爲威武團練營，自己擔任提督軍馬。

後來，明武宗回到京師，在床上躺了幾個月，終於小命不保，死時僅有三十一歲。這時大學士楊廷和發動了一連串的改革，罷去威武團練營，江彬壞事做多了，心中七上八下對外宣稱生了病，躲在家中，不敢外出，並且派出兒子江泰出外打聽消息。

楊廷和溫言軟語安慰了江泰一番。於是，江彬膽子又大了起來，病也『好轉』了，這時，楊廷和與太后密謀設法除去江彬及其黨羽，以正朝廷。

太后想了一個辦法。這時，坤寧宮安置『獸吻』，特請江彬入宮商量。所謂『獸吻』，不是被野獸親了一下，獸吻指的是門環上的裝飾物品，其形狀像一頭獅子，用以辟邪。江彬與工部尚書李鐩一入坤寧宮，太后立刻下詔，收押江彬。

江彬發覺不對，急急走到西安門，可是大門緊閉。他又奔到北安門，看守的衛士說：『有旨，留下提督。』

江彬不服：『哪兒來的旨？』守衛一向看不慣江彬的囂張，當下拔下一根江彬的鬍鬚，並且問他：『痛不痛？』

江彬理也不理，吭了一聲，守衛這次一連拔了四、五根，又問江彬：『痛不痛？』

江彬為表示英雄，又吭了一聲：『一點癢罷了。』

守衛乾脆握了一把江彬的鬍子，連皮帶毛扯了下來，滲出點點鮮血，扯完一把，又是一把，同時指責江彬：『都是你帶壞皇帝。』等到其他兵士前來逮捕江彬時，發現江彬一向引以為傲的鬍鬚，已經一根也不剩。

當楊廷和逮捕江彬之後，發現江彬家中有黃金七十櫃、白金二千二百櫃，其他珍珠寶貝不計其數，此外，楊廷和把武宗豹房裏成千上萬的番僧、少林僧、戲子唱妓、南京『快馬船』的船夫，以及從全國各地搜羅來的美女一概遣散放回，天下稱頌不已。

楊廷和是怎樣的人？他爲甚麼有權做這樣重大的改革？

楊廷和是四川新都人，少年得志，十二歲中了鄉試，成化十四年中了進士，這一年才不過十九歲，英俊瀟灑，顧盼風姿，作官一帆風順，爲人沈靜安穩，相當有能力，也相當自負。

明武宗時，楊廷和經常上奏章，懇請皇帝勤政，不過，明武宗一概不理，當明武宗凱旋回京，命令群臣各自製作錦旗迎接，楊廷和也以『天子至尊，不敢瀆獻』爲名，堅持不肯。好在明武宗貪玩好動，卻不是甚麼暴君，因此，楊廷和的規諫，也沒有爲楊廷和惹來太多的麻煩。

後來，明武宗崩逝，又沒有留下子嗣，後繼無人，張太后找了楊廷和來商量，楊廷和胸有成竹回答：『興獻王長子朱厚熜乃憲宗之孫、孝宗之姪，兄終弟及，再合適也不過了。』張太后也同意了。這個朱厚熜，就是明世宗。

在明武宗過世、明世宗即位之間，一共有三十七天的空檔，這一段時間，可以說是武宗一朝亂政的一個收拾。

楊廷和與一般大臣相同，最爲痛恨宦官，在起草世宗登基詔時，他就排除了來自太監的種種阻力，堅持自己的主張，有一回，楊廷和就毛筆一摔，氣呼呼道：『以前發生任何齟齬之事，總是推說這是皇帝的意思，現

在莫非是新天子之意嗎？』楊廷和義正嚴詞，把大家都嚇住了。

但是，楊廷和也有他的私心：譬如王陽明，本是平定宸濠之亂的英雄，明世宗即位之後，下詔王陽明入京受賞，楊廷和擔心王陽明被世宗所重用，就以『國哀未畢，資費浩繁，不宜行宴賞之事』，硬是從中阻撓，讓王陽明見不著皇帝，也不許王陽明手下的將士得到應有的封賞。

由於楊廷和自認爲是正道之士，又擁立世宗有功，言語之間，不免咄咄逼人，連世宗都受不了。例如世宗一度打算恢復皇室莊田，朝臣一致反對，世宗屈服。可是世宗不同意懲辦主張此事的太監，楊廷和馬上跳了出來，嚴厲的慷慨陳詞：『牧草草場，最爲先朝（先朝指的是前面的皇帝）之累，侵占民田幾萬頃，毀壞人民住宅墳墓無數，豈可不罪太監？』一番話，將明世宗逼得啞口無言。

總之，在楊廷和掌政近三年之中，爲明朝帶來一番新氣象，不過也由於他的專斷，有人批評楊廷和『終日想，想出一張殺人榜』，也種下了世宗與楊廷和的不和。

閱讀心得

【第996篇】

明世宗與大禮議。

明武宗過世之後，沒有子嗣。武宗的母親張太后與大學士楊廷和商量，迎接興獻王朱厚熜入承大統，是爲明世宗。興獻王是明孝宗的侄子，明武宗的堂弟，他們的關係是：

明憲宗　孝宗朱祐樘——武宗朱厚照

　　　　興獻王朱祐杬——興獻王朱厚熜（世宗）

在楊廷和想來，他建議朱厚熜當皇帝，朱厚熜應該十分感激他的迎立之功，君臣和睦愉快。再說，明世宗只有十五歲，甚麼都不太懂，應該能尊重楊廷和老臣謀國的意見，大家一起把國家治理好。

不料，明世宗雖然只有十五歲，個性既固執又小器，非常難纏。明世宗的親生母親興獻王妃，同樣也是一個處處不吃虧的厲害角色，因此爆發了所謂『大禮議事件』。

朝臣們以爲，由於明世宗是明孝宗的侄兒，他是過繼到孝宗的名下作爲孝宗兒子的身分，入奉宗祧（指的是祖先的廟，所以，宗廟又稱之爲宗祧）。

明世宗卻完全不是這個想法，他樂意當皇帝，但是，他不是要來當明孝宗的兒子的，他是以興獻王的資格來承繼大統的。

明世宗即位之後，第一件急著辦的事，就是派人到湖北，接他的親媽媽與獻王妃。這時，明世宗的生父與獻王已經過世，因此，他還要求群臣討論如何追尊與獻王。

楊廷和很是不悅，在他看來，這一個毛孩子實在是太不懂事了。自古以來，中國就有一套傳統的過繼制度，以侄子的身分繼承伯父遺留下來的皇位，理所當然必須承繼為伯父之子。所以，朱厚熜當然是孝宗之子，他的生父與獻王朱祐杬在制度上只能稱之為叔父，生母只能稱叔母。明世宗大為惱怒：『天下竟然有這樣的事，父母還可以這樣調來換去的嗎？』他把楊廷和的奏章用力一摔，要求群臣們再討論。於是群臣們展開一場漫長的討論，歷史上稱此一事件為『大禮議』。

就在這麼吵吵鬧鬧不可開交之際，明世宗的生母興獻王妃的坐船到達了北京附近的通州。兒子居然當了天子，興獻王妃樂得合不攏嘴，可是，她一聽說世宗要稱明孝宗爲皇考，她當場就發了大脾氣：『皇考不是王父的尊稱嗎？我兒子豈可以給別人當兒子，開玩笑！』她一怒之下，乾脆連京城都不去了，一路咕嚕罵兒子不孝。

明世宗的母親沒來，他的祖母倒是來了，祖母年紀大了，眼睛也瞎掉了，她用一雙枯乾的手，把明世宗自頭頂摸到了腳底，嘴裏不停的說：『我的乖孫，沒想到你當了皇帝。』過了幾個月，祖母死了，明世宗準備把祖母葬到茂陵（憲宗的陵墓），楊廷和又以不合禮教制度反對到底。

明世宗與朝臣的大禮議之爭，最後當然還是明世宗大獲全勝。明世宗原是楊廷和迎立的，世宗一點也不感激他，楊廷和的兒子楊慎，曾經在左順門撼門大哭，世宗更不原諒，把楊慎充軍到雲南永昌。

楊廷和是個天才兒童，十九歲中了進士；楊慎也是個天才兒童，後來二十四歲中了進士。楊慎崇拜他的父親，他的父親也以這個兒子爲榮。

楊慎十一歲時，就能提筆爲文，寫〈古戰場文〉、〈過秦論〉一類擬古的文章，是個少年老成的孩子。每次有人誇他聰敏，他還搖頭晃腦，老聲老氣道：『一個人資質好不足恃，應當日新德業，努力學問。』讓誇讚楊慎的大人們肅然起敬。

楊廷和、楊慎父子雖然在大禮議事件中失敗了，他們自認爲是正義之士，胸中坦然。明世宗最氣他們的自以爲是，明世宗將楊慎充軍之後，一口悶氣依然嚥不下去，常常問人：『楊慎這個人現在怎麼樣啦？』幸虧閣臣們對他印象不壞，每次都幫他忙，長嘆一口氣道：『楊慎現在又老又病，慘透了。』明世宗這才比較寬慰。如果閣臣照實說來，楊慎『著述甚豐，寫了八十一卷升庵集，又寫了二十一史彈詞。』那麼，器量狹小、懷恨在心的明世宗非再把楊慎剝一次皮不可。

至於楊廷和，世宗想起來就恨，他認為楊廷和應該『僇市』（受刑而死並且當街展示），不過姑且高抬貴手，將楊廷和削去職務成為一般平民。

一直到楊廷和去世之後，有一天，明世宗問大學士李時：『現在太倉剩下多少銀兩？』李時回答：『還可以支出數年，這是由於陛下當年下詔

書裁汰冗員的結果。』明世宗不好意思道：『此乃楊廷和之功也。』方才追贈楊廷和太保，謚文忠。

楊廷和係一代名相，初上任三十七天之中，就建立了赫赫功績。假如不爲大禮儀與明世宗對立，稍微忍耐一下，可以爲天下百姓做多少事啊。

明世宗終於如願以償將他的父親興獻帝的牌位，放到了太廟之中，並且爲此大興土木，把一座新的觀德殿乒乒乓乓拆了下來，另外建一座新的。落成之後，世宗生母興獻后興匆匆的說：『我急著去看一看。』大臣又傻眼了，因爲明朝到了永樂帝時代，皇后就只能拜謁奉先殿，不能去太廟。

大學士石瑤上奏章：『祖宗家法，后妃入宮，未有無故出入者，再說，太廟尊嚴，天子均非時出時入，何況后妃？女禍時常發生，不可不考慮。』言下之意，提醒世宗，小心別成了第二個武則天。

明世宗當然又大發脾氣，臣下愈反對他偏愈要做，於是一向不安分的興獻后由明世宗陪著入太廟行禮，君臣之間，關係不斷的繼續惡化。

閱讀心得

【第997篇】明世宗想要當神仙。

明世宗統治明朝四十五年，代表明朝由中興到逐漸衰落的階段。明世宗是出了名迷戀道教的皇帝。因此，明朝的吳承恩在他寫的名著《西遊記》一書之中，特別創造了一個『車遲國』國王，以及『虎力大仙』、『鹿力大仙』、『羊力大仙』三大仙，最後把車遲國王丟到滾油鍋裡，炸得皮焦肉爛。這車遲國國王就是諷刺崇道滅佛的明世宗。

明世宗的父親與獻王信奉道教十分虔誠。根據民間傳說，明世宗出生的當天中午，興獻王正趴在書桌上打瞌睡，迷迷糊糊中，彷彿見到玄妙觀中的純一道士。興獻王一向敬佩純一道士，急忙站起身來打招呼，方才發現是南柯一夢。正在此刻，宮人慌慌張張的奔了進來，大聲報喜：『恭喜王爺，王妃剛剛生下一麟兒。』

興獻王樂壞了，他不停的嘟嘟囔囔：『我知道，這一定是純一道士點化的。』因此，明世宗似乎是自娘胎裡就信奉道教。明世宗從小瘦弱，多災多難，小病大病不斷，他的母親蔣妃帶得很辛苦。每一次明世宗生了病，蔣妃就找道士畫符，求神禱鬼，保住明世宗一條小命。

明世宗前面一個皇帝是明武宗，也就是人們所熟悉、梅龍鎮上遊龍戲鳳的正德皇帝。正德皇帝最貪玩，釣魚的時候翻了船，連凍帶嚇，沒有多久便一命嗚呼。正德皇帝沒留下兒子，明世宗撿到便宜，以堂弟的身分繼承了明朝的皇位，是為明世宗，年號嘉靖。這一年，明世宗只有十五歲。

嘉靖二年，一向體弱的明世宗生了一場大病，幾乎死去，他愈發嚮往道家的長生不老之術。有一天，太監崔文問明世宗：『萬歲爺可知先皇帝升天時幾歲？』

『不過是三十一歲。』明世宗嘆口氣說。

崔文又問：『那麼，再往上推呢？』

明世宗一個一個算上去：『孝宗活了三十六歲，憲宗四十一歲，景泰帝三十歲，英宗三十八歲，宣宗三十七歲。』直算得明世宗心驚肉跳，富有天下的皇帝，居然撐不到中年，那麼，以他這個薄得如一張紙的衰弱身子，究竟能拖幾天呢？

崔文見世宗難過的模樣，大力宣傳禱祀的好處，從此明世宗開始全心信奉道教。明世宗第一個最相信的道士是邵元節。邵元節長相清秀，風度翩翩，明世宗一看就歡喜，讓他住在顯靈宮。沒有幾天，邵元節果然顯靈。有幾次雨雪過期不至，邵元節禱告後雨雪降臨，甚至明世宗的嬪妃也前後生了兩個兒子，明世宗很高興，加恩封賞，任命邵元節爲禮部尚書，並且賜給一品朝服。

後來，也許邵元節年紀大，祈禱漸漸不靈，他推薦陶仲文給明世宗。陶仲文一來，牛刀小試，莊敬太子的水痘不藥而癒，明世宗非常滿意。

嘉靖六年，宮中出現了黑眚，黑眚又名黑青，傳說中是一種水中妖

怪，形狀長得像人，全身黑漆漆的，專門在半夜出現，或搶小孩或吃小孩，俗名又叫嘛唬。陶仲文先燒了符，符上寫的是『降黑眚』，把符泡入水中，以劍抹之，然後，他舉起劍，對著空中劈斬，口中大聲吆喝，竟然宮中從此安寧，陶仲文成爲宮中的紅人。

嘉靖十八年，明世宗南巡，經過衛輝地方，奇怪的是，突然自天而降一個大旋風，繞著明世宗的車駕打轉，揮也揮不去，躲也躲不開。這時是八月，秋高氣爽，萬里無雲，怎麼會有此怪風？明世宗心中忐忑不安，轉頭問陶仲文：『到底怎麼回事？』

陶仲文說：『此風不祥，風之火也。』

明世宗心一緊，忙說：『快！快祈禱行法術避災。』

陶仲文神神祕祕的一笑，『火災不可免，但是對皇上無礙。』

明世宗無奈，三令五申小心防火，怪的是當天晚上行宮裡果然起了一場火，火舌愈搧愈大，一會兒就燒掉了樑柱，燒光了屋頂，火勢猛烈可怕極了！但是皇帝在哪裡？因爲明世宗一向小心謹愼，很難確知世宗睡在行宮哪一個房間中，因此，整個行宮亂成一團，死了許多宮女、侍衛。幸虧錦衣衛指揮陸炳一向機智，在熊熊大火中，找到了嚇得不成人形的明世宗，把他背出來，撿回一條命。

有人說，這是陶仲文自己勾結宦官放的火，原先只準備放一場小火，意思一下，不料水火無情，火勢一發不可收拾。無論如何，明世宗對陶仲文更加深信不疑，封爲高人、眞人，連他的兒子女婿也授了官職。

閱讀心得

【第998篇】段朝用煉銀子。

明世宗迷信道教，除了拜神仙、祈求長生不老之藥以外，他又特別相信箕仙扶乩以及祥瑞之事，甚且國家大事也由乩語決定。最荒唐的是，假如哪一個將軍打了大勝仗，他不但不會慰勞將士，反而感謝鬼神保佑。

嘉靖三十九年，浙江總督胡宗憲用計誘捕了海盜汪直，明世宗立刻的反應就是：『鬼神幫了忙。』胡宗憲發現，想要升官，就應投其所好，在祥瑞一事上下功夫。

胡宗憲千方百計，找來兩隻白龜呈現給明世宗，世宗果然歡喜；烏龜當然應該是烏黑色，難得見到一隻白烏龜，照現代人科學的說法是基因突變，古代則認爲是祥瑞。

這兩隻白龜放在地上，跑得好快，讓世宗開了眼界，大爲歎服。其實，烏龜是可以跑得很快的，龜兔賽跑可能有的烏龜還會贏，只是平常烏龜總是懶懶的在地上慢慢爬行，讓人誤以爲烏龜永遠動作遲緩。

胡宗憲對明世宗說：『史記中記載一則故事，江淮地區有個人小時候用四個烏龜頂住床的四個角，到這人死了以後，家人把床挪開，很驚訝的發現，四隻烏龜不飲不食，不吃不喝，居然還活著，活了五六十年。如此說來，人們說有千年老龜，應該不假。』

明世宗睜大了眼睛，望著兩隻白龜，眼中充滿了崇拜的神情，從此，明世宗每天都要抽空去看望白龜，打聲招呼。

但是，不曉得是否水土不服，過了沒有多久，兩隻白龜相繼死了，朝廷裡上上下下十分惶恐，不知道明世宗會如何大發雷霆。不料，明世宗不是生氣，而是嘆氣。他嘆了一口氣，又長長的再嘆一口氣，整天嘆個沒完，口中不斷的說：『天降靈物，竟然歸天，朕大概也將撒手人寰了。』

明世宗居然把自己與白龜相提並論，朝臣睜圓了眼睛，不敢相信。為了投其所好，個個努力找尋吉祥物，希望藉此獲得明世宗的寵愛。

嘉靖四十三年五月，明世宗房中突然出現了一個大桃子，大監們大呼小叫，一起跪在地上喊：『萬歲！萬歲！這一定是天上降下給萬歲爺的桃子。』事實上，這是太監自己放的，因為明世宗最近心情不佳，太監怕遭殃。

明世宗不疑有他，馬上下了命令：『舉行迎恩大典。』

第二天，宮中又出現另一個桃子，世宗更樂了，當天晚上，宮中的白兔生了兩隻小白兔，世宗愈發高興；又過了幾天，宮中的鹿生下兩隻小鹿。會拍馬屁的朝臣紛上表慶賀，說是『奇祥三賜』，明世宗興奮之下，自己親自寫了手詔謝謝臣子。

由於人人都搶著巴結，如何出奇制勝，搶在人們前面，這就是一件不容易的事。

有個名叫郭勛的武定侯，他的祖先是明朝開國功臣郭英。郭勛找來方

士段朝用，對他說：『你既然擅長於黃白術，我把你推薦給皇上。』所謂黃白術是方士用硃砂煉出黃金白銀，這根本是一件不可能的事。

段朝用囁囁嚅嚅：『可是，我的法術偶爾會失靈。』

郭勛當然知道這是騙人的把戲，他只是要找一個搭檔一起騙皇帝，因此，他拍拍段朝用的肩膀：『放心，我先供給你銀器。』既然銀是現成的，段朝用就放心大膽，精神抖擻，跟在郭勛後面，到了皇宮，呈獻出一百多件亮亮閃閃的各式各樣銀器，說是段朝用『化』出來的。

明世宗湊上前去，一件一件拿起來嘖嘖稱奇：『哇！這與朕平常用的銀器一模一樣。』

『怎麼會一樣呢？』段朝用神氣的抬頭：『皇上用了上天降下來的銀

器，可以長生不老，但是必須深居簡出，少與外界接觸，以免污染。』

明世宗好開心，終於求得長生不老之術。他封段朝用爲『紫府宣忠高士』，每天用段朝用『化』出來的銀匙、銀碗、銀盃、銀梳，想像自己一天一天變神仙，同時對群臣說：『朕想讓太子監國，治理國事，朕靜攝一兩年，如果朕沒有飛升上天，朕再親政。』

群臣嚇呆了，太子才四歲，萬歲爺眞是拿國家事開玩笑，太僕楊叢上書反對：『古代堯舜從來不學求仙這一套，難道他們不聰明嗎？只要誠心爲民，不想長壽也會長壽，不想成仙也會成仙。』這話不入耳，明世宗殺了楊叢，但也沒讓太子監國。段朝用的銀子是郭勛供給的，郭勛的銀子是他利用職權在京城中開了一萬多家店賺來的。後來有人檢舉段朝用做假，明世宗派人看守，果然段朝用沒有法術，於是段朝用、郭勛一塊兒死於獄中，明世宗繼續找尋眞正懂法術的方士。

閱讀心得

【第999篇】

藍道行表演扶乩。

明世宗不僅篤信道教，而且十分迷信靈異古怪的事，小太監們摸透皇帝的心理，四處打聽一些神仙鬼怪的故事來報告世宗。

有一天，一個小太監向世宗報告，京城裡有一個叫藍道行的人，善於扶乩，能夠知道過去與未來之事。

扶乩又名扶鸞，這是中國一種古老的占卜之術，方法很簡單，先準備一個大盤子，盤內平鋪細沙，再準備一枝乩筆，乩筆是兩根木條，釘成T

字而製成，由兩個人分持T型乩筆的橫木兩端，一個人只握著橫木不動，另一個則接受神明附體，然後移動橫木，讓下垂的木條在沙上寫字或作畫，這沙上的字代表神明的指示。

小太監把藍道行帶入宮中，叩見明世宗。

世宗坐在高高的龍椅上，望望藍道行，說：『朕聽說你善於扶乩，不曉得靈不靈？』

藍道行跪下來，必恭必敬的回答：『請萬歲爺賜下問題，小民會請大神回答。』

『好！』世宗點點頭，『朕有個問題，寫在紙上，用袋子密封起來，朕差人送到你的神壇去。』

當天晚上，明世宗派太監郭興送來一個密封的信封，藍道行在神壇前面燒了香，磕了頭，把密封的信封在神壇之前焚化，然後和一個徒弟各自手握橫木的一端，微閉雙眼。不久，藍道行的身體開始顫抖，手也開始推移橫木，乩筆在沙上寫了字：『張眞人降壇揭示，紅花綠葉遍地錦，青天白日滿室光。』

郭興與藍道行回到宮中向明世宗報告，世宗看完大怒道：『朕的問題是，朕昨天頭痛，是甚麼原因？你的乩文簡直是牛頭不對馬嘴。』

『萬歲爺，』藍道行趕快跪下來磕頭：『這是大神弄錯了，原因是送萬歲爺聖旨的人不潔淨，有了邪氣，所以大神才胡亂揭示。』

『郭興，』世宗怒目盯著身旁的太監：『你身上沾了邪氣，拉下去打十大板，好好洗一個澡，下次不許再沾邪氣。』

第二天晚上，郭興手捧著世宗的信封又來到藍道行的神壇，郭興走路一拐一拐，看起來屁股被打得很痛。

『藍師父，求你幫幫忙，再不靈就要害死我了。』郭興的聲音像在哭一樣。

『可以，只要你把信封打開來，讓我看一看。』藍道行瞇著眼睛望著太監郭興。

『私拆萬歲爺的信封是死罪啊。』郭興害怕的說。

『那你就不必給我看了，拿去燒吧。』藍道行懶懶的打了一個呵欠。

郭興揉一揉被打疼的屁股，他心想：打十板勉強可以忍受，要是打一

百板呢？要是打死了呢？想著想著，他就委屈的哭了起來。

『傻瓜，只有你知、我知，這封信就燒了，誰又會知道？』藍道行又說：『同時，你還得告訴我宮裡的情形、萬歲爺的生活習慣，我扶乩靈驗了，保證你也有好處。』

於是，郭興拆開了信封，只見明世宗在上面寫著『朕佩的玉是何形？昨夜讀何書？』

『郭公公，』藍道行在郭興耳旁輕聲的說：『你一定知道這兩個問題的答案，快告訴我，我的扶乩才靈，不然你就遭殃了。』

郭興只得在藍道行的耳朵旁說了幾句話。

藍道行點點頭，便用火把信燒掉，開始扶乩。不久，沙盤中寫出字來：『翠玉配龍鳳，燭光照孝經。』

郭興爲藍道行把乩文送給世宗，世宗看後大爲驚奇道：『沒錯，朕身上的翠綠佩玉果然是雕著一龍一鳳，昨夜朕也確實在看著孝經，你眞正是神仙，竟然知道朕的心事，朕相信你的法力，朕以後遇有疑難之事，會召你入室，朕會給你厚賞。』

明世宗一向小器，不過對於這類事一向大方。爲了修玄煉丹，明世宗大興土木，建了許多道教的齋宮祕殿，每年得花三百萬兩銀子，宮殿修好之後，得用泥金書寫門壇匾對，又要耗費幾千兩黃金。明世宗爲了煉丹，修道成仙，又派許多人到全國各地去採集大木、珠玉、寶石、油漆，光是黑白蠟每年就用三十多萬金，眞正是勞民又傷財呀。

閱讀心得

【第1000篇】明世宗肚皮裡的怪藥。

明世宗信奉道教非常虔誠，最主要的原因是他身體不好。特別是在嘉靖元年完婚之後，經常氣弱，易喘，咳嗽，因爲有病，一直到嘉靖九年，還沒有生孩子。

明世宗可能是肺不好，經常咳嗽，一咳就是一整天，尤其到了夜晚，咳得上氣不接下氣。世宗的母親蔣太后每次聽到世宗咳嗽，就像是心上被重重搗了一拳頭，她常常握著世宗發燙的手說：『唉，爲甚麼不能讓我代替你害病？』

蔣太后經常憂慮世宗生病，沒多久，她自己果然也生了病，不過，並沒有如她所願，代替世宗生病，明世宗仍然是氣喘吁吁。嘉靖十三年，他的咳嗽一拖就是半年，兩隻腳像踩在棉花上一般，臉色雪白，經常『哇！』的一聲，一口血就噴了出來。他身邊都是一流御醫，世宗自己也在讀醫書，卻是一籌莫展。

明世宗的體質弱，依常理看，他應當注重營養，鍛鍊身體，並且保持心平氣和。明世宗一樣也做不到。世宗偏食，懶得運動，道家的養生之道是強調靜坐調息，他嫌麻煩，再加上心眼小，每次與臣子嘔氣，一個晚上翻來覆去睡不著，性情暴烈，抑鬱愁悶，身體怎麼會好？

但是，明世宗是個執拗的人，他非把身體弄好不可，因此，他相信方士，求長生不老之術。另外，他仰賴醫藥，只要聽說甚麼藥有用，他就以大無畏的勇氣，把藥吞到肚子裡。

第一項要吃的當然是靈芝。在兩千年以前《神農本草經》上便說，靈芝排在人參之上，是能夠延年益壽、防止衰老的上品聖藥。

一個叫李佳的御醫對明世宗說：『秦始皇夢寐以求的長生藥，《白蛇傳》故事中的仙草不就是靈芝嗎？它能益肺氣，療虛勞。』

道士陶仲文更告訴明世宗：『常服靈芝能夠升仙，飛行長生。』

明世宗一天到晚想當神仙，聽著十分興奮，下令到處採集。野生靈芝十分稀罕，採集不易，既然是天子想要，地方風聞，爭先恐後呈獻上來，今天有人送，明天有人送，堆放在宮中，像個小山似的，太監們偷偷拿去賣掉。有一個叫王全的地方官，買了一萬朵靈芝，堆成一座『萬歲之山』，又把一個烏龜塗上了顏色，一起獻給明世宗，題了一個好聽的名稱『天降靈瑞』，明世宗龍心大悅。

不過，明世宗始終身體不舒服。一方面，他當然是有病，另一方面，他全副注意力都在自己的身上，當然今天這裡痛，明天那裡痛。

一位道士建議明世宗：『何不服用「秋石」？』

『甚麼是秋石？』明世宗問。

『秋石是用童男童女的小便在秋天煉成的藥。』

明世宗眉頭一皺：『小便不是又髒又臭嗎，讓朕吃小便？』

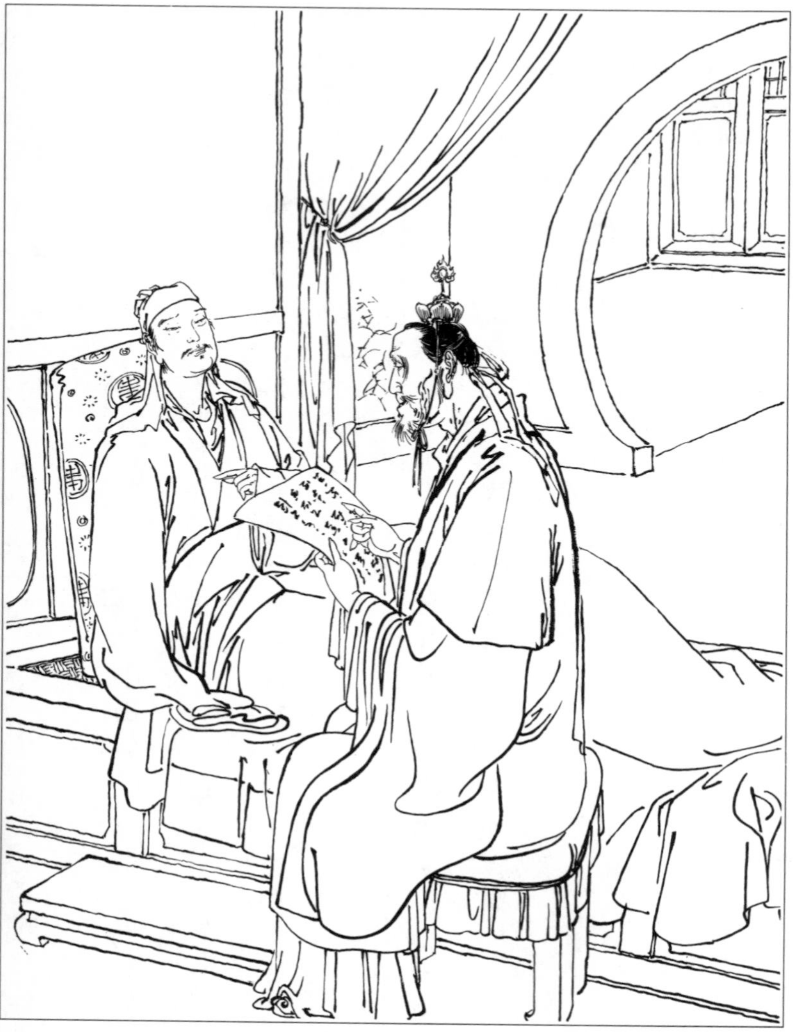

道士微微一笑：『這叫以毒攻毒。在秋天裡，取童男童女的小便，熬煉成細末，如鹽巴一般食用；用久了，能夠滋腎、降火、消痰、明目，功效很大。』

從此，明世宗用秋石代替鹽巴，無論炒甚麼菜都用秋石，雖然有時也覺得噁心想吐，但是爲了身體健康，也就忍了。事實上，明朝大醫學家李時珍曾說，秋石太鹹，多吃有害無益。

在《西遊記》中，作者吳承恩諷刺明世宗吃童男童女的小便，曾經安排了有趣的一段：話說唐僧、豬八戒、沙和尚與孫悟空來到了崇道滅佛的車遲國；半夜裡餓了醒來，孫悟空說：『我知道，城裡有一座三清觀，三清殿上有許多好吃的供品。』豬八戒睡夢裡聽說有好吃的東西，馬上醒了，他著急的說：『哥哥，怎不帶我去？』

孫悟空摀住豬八戒的嘴：『兄弟，要吃東西，別大呼小叫，驚醒師父。』他們一行三人來到三清殿，孫悟空把八戒變成太上老君，沙和尚變做靈寶道君，孫悟空自己變做元始天尊，把原像推了下去，然後三個開始大吃大喝，不論饅頭、點心、燒餅，風捲殘雲般，吃得好開心。

這時虎力大仙、鹿力大仙、羊力大仙來了，發現東西被吃得精光，以爲是天尊降臨，一起跪下，懇求賜給聖水金丹。

孫悟空就撒了一花瓶尿，豬八戒也花刺刺溺了一盆，沙和尚也撒了半缸，然後孫悟空在上面說：『小仙領聖水。』

這幾個道士，磕了頭、謝了恩，爲了尊師重道，先舀出一盅獻給老道士，老道士興奮得一口喝下，抹唇咂嘴，鹿力大仙問：『好吃嗎？』老道士努著嘴說：『不好吃，有點腥。』羊力大仙也喝了一口道：『有些豬尿味。』這才發現上了當了。

身體健康要靠平日的維護，光光吃一堆藥，愈吃愈糟糕。

閱讀心得

【第1001篇】

明世宗滅佛。

明世宗信奉道教，在他看來，用力打擊佛教，正足以代表他對道教的虔誠。其實，所有的宗教，哲理不一、目標相同，都強調愛心、慈悲心，尊重他人與分擔他人的痛苦，用不著彼此攻擊批評。

在《西遊記》一書之中，作者吳承恩創造了一個車遲國國王，用來諷刺明世宗的崇道滅佛。話說唐三藏、孫悟空、豬八戒、沙和尚來到了車遲國，忽然聽到一聲吆喝，好像千萬人吶喊的聲音，唐三藏害怕，兜住馬不敢前進，孫悟空笑道：『大家別怕，待我老孫看一看是怎麼回事。』

孫悟空縱身一跳，躍起半空之中，只見一塊沙灘空地，聚集許多和尚，正在吃力的把一輛車子扯上懸崖，口中齊喊：『大力王菩薩。』這些和尚個個衣衫破爛，看起來好可憐。

一會兒，出現兩個青年道士，頭戴星光、身披錦繡，腰上還繫著一條條絲帶。和尚見道士來了，個個膽戰心驚，加倍痛苦的拽著車子。

孫悟空把自己也變成一個道士，和兩位小道士招呼。小道士很熱心的介紹道：『我們這個城中，文武官員都好道，大小男女見到道士都得拜，頭一個就是萬歲君王好道愛賢。』小道士又得意的說：『萬歲爺說和尚沒用，拆了他山門，毀了他佛像，我家裡燒火的、掃地的、搬磚瓦、蓋房子的全是和尚。』

這個仇視和尚的車遲國國王就是暗指明世宗。

明世宗痛恨佛教，還有一層道理，因爲張太后信佛。正德皇帝去世之後，沒有留下兒子，張太后做主。明世宗以堂弟的身分繼承皇位，按理說來，明世宗應該改稱張太后爲母親，自己的親生母親改爲嬸嬸。

明世宗不肯，鬧到最後，他獲得勝利，風光的把母親蔣太后迎到宮中，會見張太后。張太后心目中仍然認爲蔣太后只是個妃子，因此非常神氣的高高坐著。

蔣太后自己也有點心虛，很自然的膝蓋一軟，就跪了下去。張太后也很自然的揮一揮手表示答禮。

兩位太后沒什麼不愉快，明世宗卻氣得發抖，他認為自己親生媽媽遭到了侮辱，他非報仇不可。

明世宗迷戀道教，痛恨佛教；明世宗孝順蔣太后，氣惱張太后，兩件事他一塊兒算帳。

朝臣上下都明白明世宗的心理，努力的投其所好。

有位工部侍郎上奏：『推倒玄明宮的佛像，把佛像身上的金屑刮下來。』

明世宗是個小器又殘忍的皇帝，他笑咪咪的說：『嗯，這個主意不錯。』於是，玄明宮的佛像，身上被刀片刮下了一千多兩的金屑。既然皇帝有毀佛寺的興趣，凡是正德年間新增或擴建的佛寺，全都難逃被毀的命

運。

在風景秀雅的西山，有一座皇姑寺，許多皇親國戚以及有權勢的太監，經常前往燒香拜佛，張太后也時常前往布施，明世宗決定把佛寺拆了，以洩心頭之恨。

這個消息很快傳開，張太后十分著急，派人對明世宗說：『皇姑寺是孝宗朝所建，不可拆毀。我聽說了這一件事，心中十分不安，皇帝應該遵照我的話。』

事實上，明世宗這個皇位，算起來還是張太后給的，明世宗一點也不感恩，張太后愈是來說情，愈促使他非拆不可。

過了不久，明世宗的母親蔣太后也來勸阻。蔣太后雖然信奉道教，偶爾也去廟裡拜一拜菩薩。

蔣太后對明世宗說：『我正想建一座寺院，就把皇姑寺算到我的名下好了。』

明世宗不為所動，他撇撇嘴道：『建寺院幹什麼，不用了。』

蔣太后急了，她搖著明世宗的肩膀道：『兒啊，毀佛寺、砸菩薩，你可要遭到惡報的啊。』說著說著，蔣太后嗚嗚咽咽的哭了起來，又是眼淚，又是鼻涕。

明世宗仍然不理，他說：『別理小人流言。』

蔣太后知道兒子的脾氣，也就不再吭聲。

明世宗把這件事交給楊一清辦，楊一清比較圓融，上奏明世宗說只留寺房給無家可歸的尼姑暫住，拆皇姑寺就不了了之。後來，明世宗又要拆宮內的大善佛殿，禮部尚書建議把佛像等埋到荒野外，明世宗不肯，他認爲這些是邪惡汙穢的東西，埋在土中，還是會有人竊盜，因此，他下令當衆燒毀了『金銀佛像一百六十九座，頭牙骨共一萬三千多斤』，可見明世宗仇恨佛教的心理。

閱讀心得

【第1002篇】

說真話與打屁股。

明世宗經年累月的祈求神仙，迷信扶乩與祥瑞之事，每天過著昏昏沈沈、自我陶醉的生活，自然沒有心情處理國家大事。但是，如果哪一個臣子膽敢出來表示反對的意見，明世宗一定大大的發威。

可是，中國歷史上，就是有那麼多讀過書、熱愛國家的知識分子，明明曉得說出來的話皇帝不愛聽，而且後果嚴重，卻還是不顧一切的說眞話。

嘉靖二十一年秋天，明世宗聽信方士陶仲文的話，建一個『祐國康民殿』在太液池西邊。工部員外郎劉魁認爲，這又是勞民傷財的事，他決心站出來勸阻。

明世宗是個很專斷的皇帝，他兩隻眼睛彷彿站立起來，眼中噴著火道：『這個小子莫非不要命！』

旁邊的太監說：『似乎是的，劉魁已經先買好了一口棺材準備放屍體。』

明世宗更生氣了：『沒這麼容易讓他輕易死掉，先廷杖再說。』所謂的廷杖，廷是朝廷，杖是用杖打人，意思是說在朝廷之上打屁股。在明朝之前的皇帝偶爾脾氣一發，會當場打屁股。到了明朝開國帝王朱元璋，因

為他有強烈的自卑感，生怕別人嘲笑他是和尚出身，經常使用廷杖。無論多大的官員，只要皇帝一不高興，立刻拖下去毒打，打死也是活該。

通常的情形是，司禮太監監視，拿棍子打人的則是錦衣衛的校尉，例如文穆曾經被打八十棍，記憶深刻，他曾寫下親身經歷。

司禮太監大聲喝道：『帶上犯人來！』底下千百人大聲呼應：『帶上犯人來！』聲震屋瓦。文穆被帶上來，太監大聲宣布：『著著實實打八十棍，每五棍換人。』也就是說一共換了十六個人打屁股。打的時候，一個人抓著文穆兩隻腳，不得動彈；頭朝地，吃了滿嘴灰塵。

明太祖朱元璋火氣很大，常常在朝廷上打人屁股，當場把人打死。當時官員每天上朝，都與妻子兒女話別，交代遺言；誰也料不準，今天上朝，皇帝老爺會不會大發雷霆，當場打人，甚且打死人。到了晚上，官員若是僥倖回到家，又與妻子兒女抱著頭痛哭流涕：『唉，又多活了一天，該慶祝慶祝。』誰也料不準第二天的事。

在明憲宗以前，除了明太祖朱元璋下手特別重外，多半還會用厚厚的棉布蓋在屁股上，然後再打。被打的人，多半也事先知道，先服一些藥。即使如此，這幾十棍，結結實實的打下來，也得在床上躺幾個月。

有一個叫姜貞毅的被打慘了，整個人昏厥過去，怎麼也醒不過來，姜家的人十分著急。

有人說：『聽說喝人尿可以醒過來。』

姜妻對小兒子說：『趕快去撒一泡尿來救父親。』

尿端來了，姜妻努力把尿灌到姜貞毅口中，也許是尿騷味太噁心了，姜貞毅手一推，人就醒過來了。

家人好開心，找了姓呂的名醫來看診，『嗯，還好，受傷的瘀青痕跡沒超過膝蓋，應該可以救活。我先用刀把打爛的肉割掉，你忍耐一下。』說著，呂醫生就動手割傷。後來，姜貞毅人是治好了，卻也成爲一拐一拐的殘廢了。

被打的人是死是活，就得看錦衣衛下手是輕是重；錦衣衛手下是否留情，就看司禮太監的指示。

司禮太監與錦衣衛之間有個默契，據明朝《萬忠貞傳》中的記載，例如司禮太監的兩隻靴尖成外八字，錦衣衛下手就輕一些；假如兩隻靴尖向內一收，那麼，休想活命了。

不過，碰到明世宗，就算司禮太監想網開一面，做做好事也辦不到。明世宗經常自己問案，自己監刑，錦衣衛不得不努力執行任務，因此楊言的手指少了一根；張選更慘，錦衣衛爲了討皇帝歡心，竟然打斷了三根木杖，張選被打得皮開肉綻，活活被打死。

儘管明世宗如此兇狠，照樣有不怕死的朝臣批評朝政，尚書楊爵就不止一次上書，勸諫皇上不要迷信扶乩之事。世宗下令逮捕，打得血肉橫飛，在牢中關了七年，最後楊爵仍然心平氣和的說：『這是我該做的事。』

因爲說眞話，反而挨了打，甚且送了命，這些知識分子總是在想：也許因爲我的眞話，終於讓皇帝良心發現，改正缺失。因此，冒著生命危險站出來說話，他們是可敬可佩的，代表著中國歷史上高貴的靈魂。

閱讀心得

【第1003篇】

陳皇后吃醋。

明世宗非常孝順母親，這一輩子，他把所有的愛給了母親，對於其他女人，明世宗是相當冷酷的。他前後立了三個皇后，三個皇后的故事都很悽慘。第一個皇后姓陳，她是明世宗嘉靖元年立的皇后，進宮之時只有十六歲。

明世宗是以明武宗堂弟的身分繼承皇位，這件婚事是由武宗的母親張太后一手策畫挑選。由於世宗討厭張太后，他心目中只有親生母親蔣太后。因此，連帶的對於陳皇后，他也極其反感，東挑西嫌。

所以兩人結婚了七年，陳皇后才傳出懷孕的消息。嘉靖七年九月裡，明世宗與陳皇后坐在乾清宮中，明世宗板著一張死魚臉，嘴巴閉得緊緊的，突然之間，他開始朗聲大笑，原來是張妃與方妃捧著茶進來了。

張妃生得十分圓潤，長長睫毛之下蓋著一雙大眼睛，眞是又美又媚。方妃臉蛋秀麗，窄窄細細的腰肢嫋嫋婷婷，明世宗爲了氣陳皇后，故意站起身來，讓兩位美人兒一左一右的坐在身邊。

明世宗常常奚落陳皇后：『瞧你的手，又黑又粗還長毛，好難看。』他總在陳皇后的手上做文章。這一會兒，他捧著張妃的手，笑咪咪道：『嗯，又柔又香又滑，讓朕親一個。』

一會兒，明世宗又拿起方妃的手仔細端詳，在臉上摩來摩去，並且一雙眼睛不斷飄向陳皇后，似乎想把她氣死。

陳皇后被冷落一旁，望著三個人，糾糾纏纏笑作一團，她知道，明世宗也不愛張妃、方妃，他就是存心讓皇后難堪，他用整陳皇后來報復張太后。

陳皇后眼淚一直在眼眶裡打轉，七年來累積的委屈湧上了心頭，她心想：『畢竟我才是母儀天下的正宮娘娘啊。』她決心爲自己討回公道。

陳皇后用力的『咳』了一聲，沒人理睬，於是她一下子站了起來，把茶杯往茶几上重重一擺，表示抗議。

明世宗天性嚴苛，他也重重的把茶杯一擱，指著陳皇后，恨恨的說：

『朕問你，七出是哪七出？』

所謂七出是古人休妻，也就是離棄妻子的七種原因，只有男人可以休妻，女人只能被休。

陳皇后嚇傻了，一面抹眼淚，一面抽抽泣泣道：『第一是沒有生子，第二犯了淫亂罪，第三是不侍奉公婆，第四是長舌搬弄是非，第五是盜竊，第六是妒忌，第七是生惡疾。』

『嗯，背得不錯，朕問你，你是犯了甚麼罪？』明世宗眼中冒著熊熊火焰。

『我，我妒忌。』說著，陳皇后放聲大哭，哭明世宗的無情，哭自己讓張妃、方妃看笑話，更哭擔心皇后位子不保，又驚又嚇又惱又怒的心情

激盪之下，陳皇后癱倒在地上，流了一地的鮮血，原來陳皇后血崩了。

御醫趕來了，歎了一口氣：『沒辦法，孩子保不住了。』

陳皇后喃喃道：『完了，又犯了七出第一條：無子。』她好不容易才懷孕，現在，整個人生還有任何指望嗎？接下來，恐怕只有打入冷宮了。一剎那之間，陳皇后完全喪失了人生的希望，她不吃、不喝、不睡，只是哭。她不曉得自己到底做錯了甚麼，上天要她如此的受折磨。

陳皇后的父親陳萬言聽說女兒病危，心中著急萬分。陳老夫人更是吵著非進宮見女兒一面。

明世宗卻不答應，他的理由是：『外戚怎能隨便入後宮？假如今天以探病爲理由，其實卻窺伺朝廷，朕可不能中計。再說，皇宮之中豈會沒有良醫妙藥，還需要甚麼親人探視，朕絕對不能放縱外戚入室，否則，朕將如何向後世交代？』

明世宗的話，簡直不近人情，皇后病重，女眷探視，這是常有之事，怎麼會是『窺伺朝廷』？陳皇后在病榻上，聽到這個消息，想到自己身爲皇后，連親媽媽都見不到一面，明世宗自己曉得愛媽媽，爲何不能想到別人也想媽媽？她痛苦又難過，一個月不到就撒手人寰，才只有二十三歲。

明世宗一滴眼淚也沒掉，用不合乎皇后下葬的禮儀葬了陳皇后，他還對大學士張璁說：『君子所配，必求淑女，何況國君。上次婚姻，是宮中久惡之婦作主。』這個久惡之婦指的是張太后，他因爲不滿意張太后，賠上陳皇后一條小命，實在是很殘忍。

閱讀心得

【第1004篇】

張皇后與蠶寶寶。

明世宗孝順親生母親蔣太后，討厭武宗的母親張太后，因此，張太后挑中的陳皇后，等於是死在明世宗的手中。

陳皇后死了不到一個月，就由蔣太后挑選了一位張皇后。張皇后實在長得不漂亮。蔣太后還是有婆媳爭寵的心理，她可不願意找一位美麗的媳婦，蔣太后的理由是『這位姓張的性情柔順，舉止大方』。

明世宗是一個聽話的兒子，媽媽這麼說，他就照辦，他先是有點遺憾的說：『宮中這麼多美人兒，挑了如此不起眼、平平凡凡的普通女子。』一會兒，他又自我吹捧起來：『由此也可以向天下人證明朕是愛德不是愛色，可見前面的陳皇后是因爲失德而死。』

張皇后戰戰兢兢，小心害怕的當起皇后。她儘量不開口，不說話，不管明世宗說什麼，她一律點頭稱是，充滿了畏懼的眼神，一點也不像一個皇后娘娘，倒像是一個可憐的小媳婦。

但是，就算小可憐如何委曲求全，她還是命運悲慘。

明世宗的花樣很多，他性格小器，喜歡鑽牛角尖，愈鑽愈深。他對於祭典有興趣，不論是郊祭、祭孔夫子、祭祖先，都要再三研究討論細節。嘉靖九年，一個拍馬屁的夏言，爲了揣摩上意，建議在皇宮中養蠶寶寶。明世宗覺得有趣，下令禮部：『古代天子親自種田，皇后親自養蠶，勸導天下勤勞，朕與皇后也準備自今年開始做。』

許多小朋友摘過桑葉，養過蠶寶寶。明世宗是個不嫌麻煩的人，他養起蠶來，規定一大堆。例如要建立蠶壇，設計特別採桑葉的器皿，皇后得先吃三天素；到了桑壇，得先『迎神四拜，賜福二拜，送神四拜。』拜得頭昏腦脹；採桑葉時，得注意方位，不能弄錯。整個儀式竟然需要調集一萬軍衛，全程不能出一絲一毫差錯。

張皇后每次親蠶禮之後，總是汗流浹背，即使冬天也是一樣，因爲她流的是害怕的冷汗，整個過程之中，她一直提心吊膽，萬一出了什麼差錯，誰知道明世宗會發如何的脾氣。親蠶禮之後，明世宗又弄了一個治繭禮出來，張皇后又得赴織堂監造製祭服，又是一堆麻煩儀式。

張皇后知道明世宗厭惡張太后，因此前一位陳皇后由於是張太后挑選的，這才倒了大楣。可是，張太后是一個善良、老實、可憐的人，她忍不住同情張太后。

張太后本來就惹明世宗嫌，加上她有兩個不成材的弟弟張延齡與張鶴齡，貪贓枉法，不停的出狀況。嘉靖十二年，明世宗把張氏兄弟抓到刑部，拷打問案，發現了一連串『違法建造園林、殺婢女』等罪名，這些罪，說大不大，說小不小。明世宗逮住機會，居然下詔，把張延齡處死，革去張鶴齡的爵號。明世宗是存心報復，讓張太后難過。

刑部尚書聶賢站出來講話，他說：『希望看在張太后面子上寬免。』

明世宗就是因爲張太后才定罪的啊，所以他下令：『聶賢不奉公守法，罰俸半年。』

明世宗又準備以張延齡謀反的罪名，把張氏家族一起滅掉，大學士張璁出來講話：『張太后年事已高，不要這般打擊老人家。』明世宗更生氣了。

張太后急哭了，她想向蔣太后求情，怕被拒絕，這時恰好明世宗第一個兒子出生，整個朝廷欣喜若狂，張太后請求入賀，世宗不准。

張太后貴爲太后，絲毫沒有受到尊重，想當初，還是她作主讓世宗入繼皇位的啊！她心中難過極了，拉下了老臉，跑去求見張皇后。張太后拉著張皇后的手，沒法子開口説話，只是一直哭，邊哭邊咳嗽，張皇后好生不忍。

哭了半天，張太后終於止住了，她對張皇后說：『你一向知書達禮，現在張家就靠你了。皇帝大概也只能聽你的話。』

『我，我豈有辦法？』張皇后著急得搖手，她看到世宗，真像老鼠碰到貓，她從來也不敢向他開口請求任何事。

張太后又開始哭，嚇得張皇后說：『好，我想個辦法。』

不料，張皇后婉轉的一開口，明世宗立刻下令：『將皇后的冠服脫掉。』內臣把張皇后的冠服脫掉之後，明世宗竟然拿著鞭子抽打張皇后：『你是蔣太后挑的皇后，居然幫張太后說情！』打完之後，貶入冷宮，兩天之後被廢，三年之後死於後宮。明世宗愛親生母親，因而仇視其他女人，這樣的愛好可怕啊。

閱讀心得

【第1005篇】

方皇后報告學習心得。

明世宗相信，世界上只有他親生母親蔣太后才真正愛他，其他人都是衝著皇帝這個位子利用他。

明世宗第三個皇后方皇后，貌美多才，方皇后看到前面兩個皇后的下場，幾乎想對明世宗說：『算了，我還是當我的皇妃，安安穩穩過日子。』

方皇后謹記前面兩個皇后的教訓，一天到晚閉緊嘴巴，與張太后保持遠遠的距離。方皇后夠美了，但是明世宗很貪心，不停的找來更多美女。他是明朝後宮妃嬪最多的皇帝，方皇后當然不開心，表面上卻表示多多益善，美女愈多愈好。

明世宗身邊全是美人兒，他卻一個也不愛，而且全部不相信，他只相信他的母親，他要盡一切力量報答母親，同時打壓張太后，明世宗的愛與恨同樣熾烈。

嘉靖七年，明世宗爲蔣太后上了一個尊號『章聖慈仁皇太后』，並在九年，大張旗鼓的把蔣太后所寫的《女訓》刻印出書。所謂女訓，不過是女人應該三從四德，以夫爲天的老掉牙訓話。明世宗把它當成寶貝，自己親自寫了一篇序文，同時下令，把《女訓》、《明太祖馬皇后傳》，以及明成祖徐皇后的《內訓》三者一起頒行天下，他希望蔣太后能因此流傳後世。可惜，蔣太后畢竟沒多少學問，內容空洞的《女訓》一書在後代沒有得到重視。

不過，在當時，蔣太后可是過足了癮，三不五時，方皇后得率領嬪妃，一塊兒到蔣太后跟前聽講。

蔣太后年紀大了，鄉音又重，講起話來，反反覆覆、再三囉唆，反正說來說去，永遠是那一套：『男人是天，天是高高在上的；女人是地，地應該是卑屈在下的。』蔣太后也不忘再三告誡：『自古以來，國家的興衰，就在於皇帝背後的女人是否賢德。』說著，蔣太后總是狠狠的盯著方皇后看。蔣太后喜歡前面一個外貌平凡的張皇后，眼前的方皇后太美了，美得讓這個婆婆打心眼裡討厭。

方皇后心中不以爲然，她心想：皇帝不上朝與我等無關。這話她可不敢開口，只是眼睛呆呆望著蔣太后，蔣太后講一句，方皇后就點一下頭，裝成一副心領神會、非常欣賞的模樣。

課上完了，方皇后還得率領妃嬪在坤寧宮報告學習心得，這也是一件苦差事，方皇后總是第一個帶頭說：『太后講得太精采了，我十分佩服。』

接下來張妃說：『我了解三從是女子未出嫁之前聽父親的，出嫁之後聽丈夫的，丈夫死了之後聽兒子的。』

李妃又接著發言：『四德就是婦德、婦言、婦容、婦功，婦人應該要

有德行，有美貌，慎言語，會操作家事。』

方皇后對此十分不耐煩，只好逆來順受，沒多久，翰林院一些拍馬屁的官員上奏，建議把蔣太后的《女訓》編成詩歌，又編爲樂曲，討明世宗的歡喜。

明世宗立刻答應，於是，方皇后與妃嬪，日日夜夜泡在蔣太后的《女訓》之中，覺得整個人快要窒息了。

嘉靖十五年，明世宗擔心母親長住宮中，十分愁悶，決定攙著蔣太后去散散心。謁陵之時，明世宗跪在母親大人的左邊，方皇后率領妃嬪，跪在蔣太后的背後，蔣太后威風凜凜，十分神氣。

回到宮中，蔣太后仍講個不停，顯然遊興不淺，意猶未盡。

明世宗突生一念：『不如我們去遊西湖。』

『好哇！』蔣太后一口答應。

西湖好美，群山環繞，雲霧縹緲，明世宗扶著蔣太后沿著北岸，到了著名的靈隱寺，在虎跑寺逗留了一會兒，觀賞名泉，喝喝好茶，蔣太后對於女太太們有興趣的精美小食、絲綢、香扇、刺繡讚不絕口。

接著，明世宗陪著母親大人泛舟西湖，欣賞岸邊柔草，湖面風光。明世宗說：『蘇東坡曾有名句，欲把西湖比西子，淡妝濃抹總相宜。意思是說，把西湖比喻爲中國古代的美女西施，不論濃妝淡妝，永遠是那般美麗。兒也寫了幾首詩，不比蘇東坡差。』

於是，明世宗就一首接著一首唸。他的詩實在不高明，反正蔣太后也不懂，兒子寫的當然是最好的，呵呵呵笑個不停。方皇后也想泛舟，但是接觸到明世宗冰冷無情的眼光，她嚇得直打哆嗦，完全不敢吭聲。

閱讀心得

歷代・西元對照表

朝　　代	起迄時間
五帝	西元前2698年～西元前2184年
夏	西元前2183年～西元前1752年
商	西元前1751年～西元前1123年
西周	西元前1122年～西元前 771年
春秋戰國(東周)	西元前 770年～西元前 222年
秦	西元前 221年～西元前 207年
西漢	西元前 206年～西元 8年
新	西元 9年～西元 24年
東漢	西元 25年～西元 219年
魏(三國)	西元 220年～西元 264元
晉	西元 265年～西元 419年
南北朝	西元 420年～西元 588年
隋	西元 589年～西元 617年
唐	西元 618年～西元 906年
五代	西元 907年～西元 959年
北宋	西元 960年～西元 1126年
南宋	西元 1127年～西元 1276年
元	西元 1277年～西元 1367年
明	西元 1368年～西元 1643年
清	西元 1644年～西元 1911年
中華民國	西元 1912年

國家圖書館出版品預行編目資料

全新吳姐姐講歷史故事. 47. 明代/吳涵碧 著.
--初版.--臺北市；皇冠，1999〔民88〕
面；公分（皇冠叢書；第2944種）
ISBN 978-957-33-1644-2 （平裝）
1. 中國歷史

610.9　　88007060

皇冠叢書第2944種
第四十七集【明代】
全新吳姐姐講歷史故事〔注音本〕
作　　者—吳涵碧
繪　　圖—劉建志
發 行 人—平雲
出版發行—皇冠文化出版有限公司
台北市敦化北路120巷50號
電話◎02-27168888
郵撥帳號◎15261516號
皇冠出版社(香港)有限公司
香港上環文咸東街50號寶恒商業中心
23樓2301-3室
電話◎2529-1778　傳真◎2527-0904
印　　務—林佳燕
校　　對—鮑秀珍・第一編輯室
著作完成日期—1998年12月
香港發行日期—1999年07月09日
初版一刷日期—1995年07月15日
初版二十六刷日期—2019年04月
法律顧問—王惠光律師

讀者服務傳真專線◎02-27150507
電腦編號◎350047
ISBN◎978-957-33-1644-2
Printed in Taiwan
本書定價◎新台幣150元/港幣45元